Abbaye
de
Saint-Savin-sur-Gartempe

EMMANUELLE JEANNIN

Editions Gaud

"Ce que le récit raconte, la peinture

Au Moyen Âge, écriture et lecture sont l'apanage des nobles et des clercs. Images et paroles mettent à la portée de tous le message chrétien. Une fois le sermon achevé et les chœurs silencieux, restent les images, cadre de la méditation des fidèles. Écrin de la maison de Dieu, support du catéchisme et des moments forts de l'année liturgique, les images sont omniprésentes dans les églises.

Vitrail, tenture, sculpture, mosaïque, mobilier, orfèvrerie, peinture murale : tout se prête à la diffusion du message divin. L'église abbatiale de Saint-Savin est le témoin miraculé d'un de ces supports de l'iconographie chrétienne, la peinture murale. Que cette église ait été presque entièrement peinte n'avait en soi rien d'exceptionnel à une époque où une église finie est une église peinte. Il en est bien autrement aujourd'hui. Parmi les nombreuses églises peintes, beaucoup ont subi l'outrage des temps, des modes, des destructions.

Au fil du temps, Saint-Savin est devenu un ambassadeur unique de cette époque où les églises sont systématiquement peintes. L'église abbatiale mérite que l'on s'attarde sur ces qualités fondamentales. Avec ses peintures murales, elle est représentative d'une forme de décor souvent disparu. Elle est originale par les qualités techniques et esthétiques de ses peintures qui font corps avec un ensemble architectural d'exception. Alors que bien souvent les églises reçoivent un simple écrin géométrique, coloré, végétal ou de faux appareil, Saint-Savin est dotée d'un décor figuré. Autant qu'agréable à l'œil, la peinture se veut ici salutaire à l'esprit chrétien. Résultant d'un programme iconographique global, les peintures sont réparties adroitement dans les différentes parties de l'église. Ainsi forment-elles un langage formulé à l'adresse des fidèles — moines, pèlerins ou simples paroissiens.

Bestiaire sur une colonne de la nef

montre. ”

Saint Nicéphore

« *Dans aucun pays, je n'ai vu de monument qui méritât au plus haut degré l'intérêt d'une administration amie des arts. Si l'on considère que les fresques de Saint-Savin sont à peu près uniques en France, qu'elles sont le monument le plus ancien de l'art de la peinture dans notre pays, on ne peut balancer à faire des sacrifices même considérables pour les sauver.* »

P. Mérimée, 1845

Rapidité d'exécution et permanence de mêmes artistes sur le site sont à l'origine de ce trait majeur qu'est l'homogénéité relative des peintures de Saint-Savin : sur plus de 400 m² de surface peinte, les ateliers de peintres s'affairent pendant près de cinq années.

Des qualités des peintures, une semble émerger, comme hors du temps : leur capacité à traverser les siècles. Voilà près de mille ans qu'elles ont vu le jour, et pourtant en bien des endroits, couleurs et traits semblent intacts. Cette pérennité du décor est surtout liée aux techniques utilisées pour sa réalisation : la fresque et ses dérivés. Par l'emploi de ces méthodes, les pigments sont très rapidement emprisonnés dans l'enduit de chaux où on les appose. À la fois écrin et protection, le mur assure un rempart relatif aux ennemis des couleurs : humidité, courants d'air, et lumière forte.

Toutefois, cette protection intrinsèque a maintes fois été mise à mal par ignorance ou par négligence. Certaines églises romanes peintes ont parfois vu leur décor remis au goût du jour par les siècles suivants, badigeonné en blanc, ou gratté pour rendre la pierre apparente. Saint-Savin ne fut pas une exception, ces menaces ont aussi pesé sur son décor mural. Plus chanceuses que d'autres, ces peintures ont été sauvées de la dégradation puis du badigeonnage, voire de la destruction, par Prosper Mérimée.

Alors inspecteur des Monuments Historiques, homme de lettres, il défend ardemment la *merveille de Saint–Savin*. Sous son égide, cet ensemble de plus de 400 m² de peintures murales figurées est classé Monument Historique en 1840. Plus tard, l'UNESCO non plus ne s'y est pas trompée, qui a inscrit au rang du patrimoine mondial de l'humanité la *Sixtine romane* en 1984.

Un saint du chœur.

4

L'histoire de l'abbaye

FONDATION À L'ÉPOQUE CAROLINGIENNE

Entre légende, tradition et histoire, il est bien difficile de relater la vraie histoire des premiers temps de Saint-Savin. La disparition de la charte de fondation, survenue en 1568 lors des guerres de Religion, y est pour beaucoup. D'après la tradition, au Ve siècle de notre ère, deux frères, Savin et Cyprien, fuient la péninsule italienne pour échapper aux Romains qui leur reprochent leur croyance chrétienne. Ils sont finalement rejoints et martyrisés près de la Gartempe. Les reliques des deux saints seraient retrouvées sur les lieux du martyre aux alentours de l'an 800. Baidilus, clerc palatin à la cour de Charlemagne, abbé de Marmoutier, fonderait ainsi une église dotée de quelques clercs pour abriter les précieuses reliques. Il est possible que cette fondation bénéficie du patronage de grands hommes. Charlemagne serait à l'origine du lieu fortifié, ou *castrum*, qui protège l'abbaye. Son fils, Louis le Pieux, roi d'Aquitaine depuis 781, puis empereur en 814, est à l'origine de la réforme de la communauté des moines de Saint-Savin. Il est aidé par Benoît d'Aniane qui assure le renouveau de nombreuses abbayes bénédictines et codifie la règle de saint Benoît de Nurcie : la célèbre règle bénédictine est alors appliquée à Saint-Savin comme dans bien des monastères. Benoît d'Aniane aurait ainsi doté Saint-Savin d'un abbé puissant, Dodon, et d'une communauté d'une vingtaine de moines.

UN SITE ABRITÉ DES INCURSIONS NORMANDES

Lors des invasions normandes, au cours du deuxième tiers du IXe siècle, les moines de Saint-Savin ont la chance d'être protégés par le fameux *castrum* érigé sous Charlemagne. Ils font profiter d'autres communautés de cette vénérable protection. À l'approche des drakkars, moines et reliques de diverses communautés du val de Loire affluent à l'abri derrière les remparts. Certaines reliques placées à Saint-Savin transitent vers la Bourgogne pour plus de sécurité. Les liens désormais tissés avec les abbayes de différentes régions en ces temps troublés se renforcent à la fin des invasions. Saint-Savin relativement épargné se voit confier la réforme de nombreuses abbayes parmi lesquelles Charroux, Saint-Martin d'Autun, Baume-les-Messieurs, Vézelay. Peut-être lui doit-on la fondation de Cluny.

DONATIONS ET RAYONNEMENT DE L'ABBAYE DU IXE AU XIIIE SIÈCLE

Au rayonnement spirituel de l'abbaye s'ajoute bientôt le rayonnement matériel. Aumode, comtesse du Poitou et duchesse d'Aquitaine, effectue en 1010 un don considérable à l'abbaye. Grâce à cette donation, l'actuelle église abbatiale serait bâtie. Construction et décoration semblent ainsi s'échelonner entre 1040 et 1100, sous l'égide des abbés Odon et Gervais. Au XIIIe siècle, le comte Alphonse de Poitiers, frère de saint Louis, et une dame de Toiré permettent par leurs donations la construction de bâtiments conventuels. Ils pérennisent ainsi le patronage des grands qui, en tous temps, ont permis le rayonnement de l'abbaye bénédictine.

DES PÉRIODES TROUBLÉES

L'âge d'or de l'abbaye est interrompu par une longue période de troubles. À la fin du XIVe siècle, la guerre de Cent Ans sonne le glas de la prospérité du monastère. Il passe successivement aux mains des Anglais, des Français puis des troupes du Prince Noir. Commence alors une longue phase d'indigence matérielle et spirituelle.

Dans la deuxième moitié du XVIe siècle, les guerres de Religion ne font que prolonger cet état de fait. En 1562, les réformés pillent les bâtiments abbatiaux. En 1568, le mobilier liturgique, les reliques et les archives sont détruites par les protestants. Les catholiques s'installent ensuite dans les bâtiments après les avoir à leur tour malmenés.

Plus tard, des abbés laïcs sont nommés, plus soucieux d'empocher les revenus de l'abbaye que de faire régner la discipline et d'entretenir les lieux. Aux alentours de 1600, un de ces abbés commendataires fait démanteler les bâtiments pour en vendre les pierres. Disparaissent ainsi en grande partie le cloître et les bâtiments conventuels bâtis aux XIIe et XIIIe siècles. À partir de 1611, un autre de ces abbés, Henri de Neuchèze, baron des Francs, fait régner la terreur dans l'abbatiale où il a installé son logis, chassant les moines.

UNE ÉPOQUE DE RENOUVEAU QUI DÉBUTE SOUS LE RÈGNE DE LOUIS XIII

À cette longue période pendant laquelle bâtiments et moines souffrent de concert du manque d'intérêt porté à l'abbaye, succède enfin à partir de 1640 le relèvement de l'abbaye. Après bien des difficultés, le baron de Neuchèze est chassé de l'abbaye sur les ordres du roi Louis XIII. Des religieux de la congrégation de Saint-Maur venus de l'abbaye de Nouaillé réinvestissent les bâtiments conventuels en décrépitude et réintroduisent la discipline. Après des restaurations dans l'abbatiale entre 1640 et 1682, la construction de nouveaux bâtiments conventuels est décidée. La réalisation du projet est confiée à l'architecte François Le Duc, dit Toscane. Sans tarder, ses desseins sont exécutés dans le style classique entre 1682 et 1692. Des projets présentés dans le *Monasticon Gallicanum*, certains ne sont néanmoins pas réalisés. N'ont jamais été réalisés deux des quatre bâtiments censés fermer le cloître, à l'Ouest et au Sud, prévus pour abriter la bibliothèque et le logis des moines. Aujourd'hui, le dessein d'une sacristie au Sud du chevet est encore visible à l'extérieur dans les pierres d'attente de la façade. Seule est achevée l'aile orientale abritant la salle capitulaire, le réfectoire et les cellules des frères.

DE LA RÉVOLUTION À NOS JOURS

Après un siècle de vie monacale, ces nouveaux bâtiments conventuels sont affectés à des usages totalement différents, suite à la Révolution : logement d'instituteur, puis gendarmerie. Le cloître est le théâtre de parades et de fêtes révolutionnaires. L'église abbatiale devient église paroissiale en 1792. Les quatre derniers moines quittent alors l'abbaye. Cette reconversion du bâtiment explique sa relative préservation à la période révolutionnaire. Seul le mobilier souffre des déprédations révolutionnaires : les cloches sont descendues, des vases sacrés volés…

Malgré l'utilisation de l'église comme lieu de culte pour les paroissiens, l'entretien du bâtiment semble sommaire. L'eau s'infiltre, certaines parties de l'édifice menacent de s'effondrer. En 1833, le préfet du département, Alexis de Jussieu, visite l'église à un moment crucial : le maire avait fait appel à des artisans locaux pour boucher une fissure de la nef et badigeonner les peintures murales. Le préfet alerte alors Ludovic Vitet, premier inspecteur général des monuments historiques. La prise de conscience du trésor que constitue Saint-Savin se fait alors très rapidement et devient essentielle à sa sauvegarde. Prosper Mérimée, inspecteur des Monuments Historiques qui succède à Vitet, pare aux restaurations les plus urgentes dès 1836. L'église est classée par le service des monuments historiques en 1840. De nombreuses restaurations des maçonneries sont engagées pour mettre hors d'eau les bâtiments et prévenir ainsi la dégradation des peintures. En 1849, l'église est considérée comme provisoirement sauvée grâce à Prosper Mérimée.

Plus récemment, dès les années soixante, des restaurations concernant directement la voûte de la nef, sa solidité et ses peintures ont été effectuées. À ses restaurations il faut ajouter deux épisodes marquants de l'histoire de Saint-Savin : le classement par l'UNESCO en 1984, et la création du Centre International d'Art Mural en 1990.

Saint Savin et saint Cyprien.

7

En bord de Gartempe

Émanant rarement d'un choix délibéré des moines, le site de l'abbaye est ici, comme souvent, imposé par le donataire. Il réserve les terres les plus fertiles à l'agriculture dont il vit indirectement et lègue bien fréquemment celles non exploitées, qui sont par la force des choses, de moindre richesse.

Ainsi, les abbayes sont souvent dotées de sites en bordure de rivière, inondables comme à Saint-Savin. Les sols y sont certes fertiles mais nécessitent des travaux de mise hors d'eau que seuls des moines bien organisés peuvent réaliser. La communauté doit tirer parti des terres qui lui sont cédées. On pratique la pisciculture : le poisson correspond au régime alimentaire préconisé par la règle de saint Benoît. L'irrigation permet de jouir d'un jardin potager et d'un lavabo. La force hydraulique peut être utilisée pour actionner des moulins, l'eau pour refroidir des forges.

Les bénédictins ont appris à tirer parti du site légué, façonnant la nature pour la rendre vivable, salubre et nourricière. Cette lutte de la culture pour maîtriser la nature correspond à une des pierres d'angles de la règle de saint Benoît : le travail manuel et ses vertus.

À Saint-Savin, le choix du site est donc tributaire du bon vouloir de Baidilus. Le lieu du martyre est aussi déterminant. Sans bâtir l'abbaye sur le site même de la découverte des reliques, on l'installe sur le site propice le plus proche.

Les reliques constituant un attrait pour les chrétiens du Moyen Âge, il est de bon aloi que le site soit desservi par un axe routier de taille : la route antique Bourges - Poitiers. Sur un lieu de passage, le site est facilement accessible. Il doit pouvoir être aussi aisément défendu. Une enceinte, commanditée par Charlemagne, assure protection et sécurité, notamment face aux vikings qui remontent les rivières. Ce mur est crénelé, doté d'un chemin de ronde et cantonné par de fortes tourelles d'angle.

La communauté se suffit ainsi à elle même. Au besoin, on peut y vivre en autarcie : potagers, viviers, granges, moulins, eau, infirmerie… Il en est de l'abbaye comme d'un château fort.

Les bâtiments conventuels

L'aile Sud s'agence selon une grille géométrique emblématique des bâtiments d'époque classsique.

Autrefois, les bâtiments de Saint-Savin s'organisaient à la manière traditionnelle des abbayes. Le cloître, cour fermée de forme carrée, était le centre autour duquel tout s'agençait : un lieu de passage matériel et spirituel. Quatre galeries couvertes permettaient de méditer et de relier les bâtiments, sans contact avec l'extérieur, dans la clôture.

Cette cour centrale était encadrée par quatre corps de bâtiments. Le côté Nord du cloître est dévolu à l'église de l'abbaye — ou abbatiale. L'autel de l'église, lieu sacré entre tous, est orienté, tourné vers l'Est, vers Jérusalem et le soleil levant. Sur le flan Est, un vaste corps de bâtiment borde la Gartempe. On y trouve la salle capitulaire, le réfectoire, la cuisine, et à l'étage, les cellules des moines. Un peu excentré, le logis de l'abbé occupe un pavillon à l'angle extérieur Sud-Est du carré. En revanche, les ailes médiévales Sud et Ouest ont disparu lorsque l'abbaye est devenue carrière de pierre aux mains des abbés laïcs au début du XVIIᵉ siècle.

Désormais, l'abbaye se trouve ainsi dépourvue de pièces fondamentales telles le *scriptorium*, la bibliothèque, la salle des hôtes, la sacristie, dont la reconstruction avait pourtant été projetée au XVIIᵉ siècle dans les ailes Sud et Ouest.

L'AILE ORIENTALE FRANÇOIS LE DUC

Directement relié à l'abbatiale par une porte dans le bras Sud du transept, le seul bâtiment conventuel restant est long d'une cinquantaine de mètres. On y reconnaît le vocabulaire de l'architecture classique : grandes baies superposées d'un étage à l'autre, occupant toute la hauteur du niveau, corps de moulures horizontaux qui donnent à la façade sa continuité, modillons à volutes qui soutiennent la corniche, comble brisé éclairé de lucarnes à frontons triangulaires. Le tout s'ordonne selon un quadrillage de façade qui confère harmonie à l'ensemble. François Le Duc, dit Toscane, en est l'architecte, sollicité en 1682. Il réutilise cette composition pour d'autres bâtiments conventuels à Saint-Maixent, Celle-sur-Belle, ou Périgné.

RÉFECTOIRE, SALLE CAPITULAIRE ET CUISINES

Le réfectoire est placé au rez-de-chaussée de l'aile Est. De majestueuses voûtes d'ogive de pierre rosée se déploient depuis des culs-de-lampe polygonaux. Les moines s'y réunissent le temps des repas. Le silence est de règle pour favoriser le recueillement en ce moment qui rappelle la Cène, dernier repas partagé par le Christ et les apôtres. Cependant on lit à haute voix des textes sacrés pen dant que les moines sont attablés. Une chaire, accolée au milieu d'un mur et en hauteur, est prévue à cet effet. Elle est en pierre de taille très soignée avec un accès aménagé dans l'embrasure de la fenêtre.

Des baies de type classique donnent à l'Est et baignent la pièce de lumière. En revanche, le percement de ces fenêtres commence haut : l'esprit du moine ne doit pas être attiré et distrait par la beauté du paysage des rives de Gartempe…

Sous le réfectoire, des fouilles ont mis au jour l'existence de la salle capitulaire nciennement voûtée du XIIIe siècle.

À l'extrémité Sud du réfectoire se trouvaient vraisemblablement les cuisines. Au Nord, entre l'église et le réfectoire, la salle capitulaire est un lieu pour la réunion matinale quotidienne qu'est le chapitre. Un chapitre de la règle de saint Benoît est lu, et les problèmes de la communauté sont abordés.

L'ESCALIER

Un vaste escalier monumental à proximité de l'église dessert toute l'aile. Il permet aux moines de se rendre aisément depuis leurs cellules placées au premier étage de l'aile aux offices du matin et du soir. L'escalier est emblématique de cette époque où une bonne qualité de taille

de pierre est primordiale, ce que l'on nomme alors l'art de la stéréotomie. Colonnes toscanes qui soutiennent les paliers et balustres rampants en témoignent.

LES CELLULES DES MOINES

Situées à l'étage, les cellules des moines sont individuelles et spacieuses. Le couloir qui les dessert est placé à l'Ouest, tandis que les cellules donnent à l'Est, comme le veut la Congrégation de Saint-Maur. Elles correspondent aujourd'hui à un espace d'exposition.

LE LOGIS DE L'ABBÉ ET LA TOUR LÉON EDOUX

Bâtiment de style néo-médiéval, le logis de l'abbé se tient dans l'angle Sud-Est du cloître. Bâti au XVIIe siècle, il est modifié au XIXe siècle par un natif de Saint-Savin : Léon Edoux (1827-1910). Cet ingénieur fait de ce bâtiment sa demeure. On lui doit l'intrigante tour crénelée qui reçut un des premiers ascenseurs hydrauliques. Léon Edoux s'illustre avec cette invention à l'exposition universelle de 1867. Il conçoit ensuite les ascenseurs de la Tour Eiffel.

11

L'église abbatiale

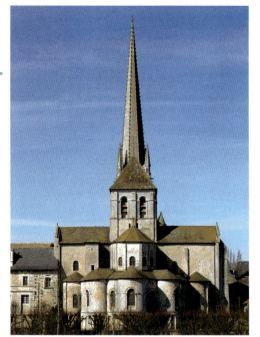

Souvent, celui qui entreprend la découverte de Saint-Savin y vient en quête d'une découverte picturale, pour ces peintures qui ont fait la renommée du lieu. Pourtant, l'architecture qui sert de support à ses peintures est à elle seule plus qu'un simple cadre ou faire-valoir. L'église ne serait pas peinte, elle mériterait à elle seule le détour.

UN PLAN EN CROIX LATINE

Ne dérogeant pas à la règle romane, le plan de l'église est en croix latine, rappel direct de celui pour qui l'église est bâtie. La croix est tournée vers l'Est, c'est-à-dire orientée, indiquant ainsi aux fidèles le soleil levant, la lumière, et Jérusalem, ville sainte. Chacun des quatre bras de cette croix symbolique participe par sa fonction à la vie liturgique. Le plus grand des quatre est la nef, précédée par une tour porche, qui fait le lien avec l'extérieur. Aux pèlerins, cette tour indique des campagnes avoisinantes la présence de l'abbatiale par l'imposante flèche qui se dresse vers la direction céleste. Cette flèche n'existe que depuis le XIVᵉ siècle. Elle a été rebâtie au XIXᵉ siècle. Au rez-de-chaussée elle abrite un porche, à l'étage une tribune.

UNE ÉGLISE-HALLE

Longue de 42 mètres et large de 17, la nef est le lieu de rassemblement des fidèles. Elle est divisée dans la largeur en trois vaisseaux. Les vaisseaux latéraux sont d'une hauteur presque égale à celle du vaisseau central. Ainsi, l'éclairage de la nef se fait par les fenêtres percées en hauteur dans les collatéraux. La hauteur des vaisseaux latéraux permet aussi de contrebuter les poussées de cette haute nef. Ce type d'élévation correspond à l'église-halle poitevine, élancée et lumineuse. Cette nef a été l'objet d'hésitations : les trois premières travées sont scandées par des arcs doubleaux en pierre qui reposent sur des piles quadrilobées aux chapiteaux peu incisés. Les six autres travées sont dépourvues de doubleaux, elles reposent sur de simples colonnes aux chapiteaux sculptés de feuillages gras poitevins. Cette disposition dans une nef est exceptionnelle.

À analyser les hypothétiques phases de constructions, on s'explique mieux le changement de parti. En effet, la construction a débuté par le chœur et le transept — pour rendre le sanctuaire utilisable — qui devaient ensuite être reliés à une façade préexistante à l'emplacement de l'actuel porche. C'était compter sans l'absence de parallélisme entre transept et façade. Pour relier ces deux éléments désaxés, le maître d'œuvre a dû vite réaliser qu'une voûte classique avec arcs doubleaux et piles montantes engendrerait des points de repères visibles à l'œil nu qui rendraient criant le désaxement. Après la construction de trois travées classiques, on aurait ainsi opté pour une configuration dans laquelle les lignes de fuite se faisaient plus discrètes.

Assez austère, les deux bras du transept reçoivent une absidiole chacun au mur oriental. Le chœur, polygonal, est assez profond. Surmontant une crypte, il est surélevé. Des colonnes encadrent l'autel. Leurs chapiteaux ont des motifs de feuilles d'acanthe ou des lionnes. Au dessus de ces colonnes, un étage de fenêtres permet l'éclairage du chœur.

Passage qui contourne le chœur à l'Est, le déambulatoire permet l'accès aux chapelles rayonnantes. Au nombre de cinq, ces absidioles sont de plus en plus profondes et larges vers l'Est. La multiplication des cha-

pelles correspond à la volonté d'adapter le nombre d'autels à la multiplication des offices. À l'intérieur comme à l'extérieur courent à la base de ces chapelles des arcatures aveugles qui semblent servir d'assise à la construction. Vu de l'extérieur, le chevet accuse une impression ascensionnelle. Les volumes s'étagent de façon pyramidale : la multitude des arcades bien assises, les absidioles, l'étage de fenêtres et le clocher carré qui s'élance vers le ciel, autant d'éléments typiquement poitevins.

Peinture et architecture

Au sens propre comme au sens figuré, la peinture de Saint-Savin fait corps avec l'architecture qui est son support. La peinture monumentale romane sert différentes fonctions dans une église : décoration, support de l'enseignement religieux, de la méditation et de la prière. Aussi, la peinture souligne, ponctue l'architecture pour laquelle elle a été conçue, et ce de diverses façons.

Dans la partie Ouest de la nef dévolue aux paroissiens, les scènes présentées sur un mode narratif sont simples et courtes. Elles ont trait aux rapports entre Dieu et les Hommes. Dans la partie de la nef réservée aux moines novices, le thème de la séparation est récurrent. Dans la partie des moines de chœur la plus proche de l'autel, les cycles se font plus longs, évoquent le péché, la trahison mais aussi l'espérance de ceux qui s'unissent à Dieu.

DES THÈMES ET DES LIEUX EN ADÉQUATION

A Saint-Savin, le programme iconographique répond aux fonctions et à la symbolique de chaque partie de l'abbatiale : sous le porche, lieu d'accueil, Jésus triomphant accueille les fidèles. Près de l'autel, où l'on communie avec le pain et le vin, sont peints le froment de Joseph et le vin de Noé. Les saints, supports de la vie liturgique, ont leur place dans la crypte, support matériel de l'autel majeur de l'église. Les prophètes peints au sommet des colonnes de la nef jouent leur rôle de piliers de l'Église.

DES PEINTURES À LA MESURE DE LEUR SUPPORT

À voûte haute, grandes peintures. Voilà un aphorisme qui s'applique aux peintures de la nef de Saint-Savin. Aisément perceptibles à 17 mètres du sol, les personnages ont une taille moyenne proche de deux mètres. La dimension des sujets est donc le fruit de la hauteur de leur support mais aussi de leur forme ; s'ils étaient transférés sur une surface plane, ils paraîtraient sans doute beaucoup trop longilignes.

On tient compte du raccourci qu'exerce l'œil du spectateur sur une voûte.

Les tons employés, la grosseur des traits varient en fonction de l'éclairage du lieu et de la distance qui sépare l'observateur et l'œuvre. D'où les quatre familles de peintures de Saint-Savin qu'on pensait au départ émaner d'ateliers distincts. En réalité, elles semblent devoir leur existence à un même groupe d'artistes sur une période restreinte — artistes qui n'ont fait que s'adapter aux impératifs de chaque lieu. Ainsi, la nef reçoit des géants aux traits marqués et aux couleurs intenses. Les figures du porche et certaines figures de la tribune sont de taille moyenne, rendant plus virtuoses les gestes des artistes. Les teintes y sont claires et le graphisme précis. La crypte, de taille encore plus restreinte abrite des personnages de petite taille qui semblent se courber sous le poids de la voûte. L'obscurité du lieu suffit à expliquer les teintes foncées.

QUAND LA PEINTURE DEVIENT ARCHITECTURE

Mieux que de faire corps avec l'architecture, il arrive que les peintures se substituent à l'architecture par le biais du trompe-l'œil. On imite alors ce que l'on ne peut pas toujours s'offrir : les colonnes de marbre, la pierre de taille, la mosaïque, les chapiteaux aux teintes somptueuses. Les colonnes de marbre peint et les décors rubanés rappellent le souvenir des basiliques des premiers temps du christianisme. Ces éléments contribuent à recréer une architecture idéale. Il existe un véritable jeu entre architecture et peinture : des saints s'appuient vraiment sur des arcs en trompe-l'œil, des bandeaux de mosaïques peints soulignent de vraies arcatures dans lesquelles sont logées de faux saints...

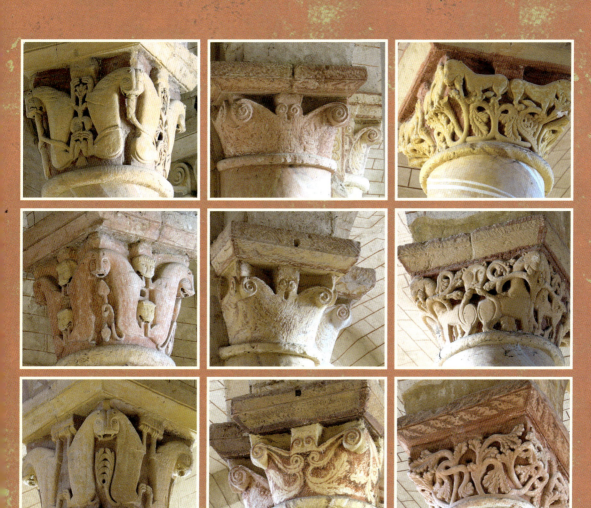

Chapiteaux et sculptures

Les églises romanes poitevines sont connues non seulement pour leur architecture, mais aussi pour être des joyaux de la sculpture romane. Les chapiteaux de Chauvigny ou la façade de Notre-Dame-la-Grande à Poitiers suffisent à en juger. Or à Saint-Savin, la sculpture semble éclipsée par les peintures : quelques modillons sculptés sur la tour-porche, une façade Ouest austère, un décor d'encadrement de fenêtres réduit au minimum. En revanche, le décor sculpté trouve une place d'honneur sur les chapiteaux à l'intérieur de l'édifice.

Les chapiteaux du chœur et des chapelles émaneraient d'un seul et même atelier ayant œuvré au début du chantier. Des têtes de lions occupent les angles ; la présence de ces animaux rappelle le Christ. Ces chapiteaux alternent avec des chapiteaux à feuilles d'acanthe, d'inspiration corinthienne. Ce décor chargé de symboles n'est pas sans rappeler les premières basiliques chrétiennes. La sculpture était rehaussée par le jeu de couleurs ocre jaune et ocre rouge.

D'autres séries de chapiteaux sont réservées aux piles et colonnes de la nef. Dans les trois premières travées, les corbeilles du chapiteau sont presque lisses, le sculpteur s'efface pour laisser la part belle au peintre qui parachève le chapiteau. Dans le reste de la nef, une série sculptée de grande qualité a été réalisée. Son motif est emblématique du Poitou : le feuillage gras. Les tiges sont longues et entrelacées. Les lobes des feuilles se déploient. La végétation luxuriante envahit la corbeille. Les motifs sont bien incisés. Bien que de compositions différentes, ces chapiteaux appartiennent à une même série très homogène. Place est faite aux végétaux, les figures se font rares. Tout semble fait pour laisser la vedette à la peinture et aux scènes narrées à quelques centimètres de là…

Le porche

Anges et apôtres de l'arc doubleau oriental.

Je suis la porte.
Si quelqu'un entre par moi, il sera sauvé.

Jean, X, 9.

UN LIEU D'ACCUEIL DES FIDÈLES : L'INVITATION À LA PRIÈRE

Le fidèle qui autrefois se rendait dans l'abbatiale de Saint-Savin arrivait par le porche, espace réduit à la base de la tour-porche. Partie occidentale de l'église, la salle y est voûtée en plein cintre avec deux larges arcs doubleaux. À l'origine elle était entièrement ornée d'un décor peint. Très exposée aux intempéries, une bonne partie des peintures a disparu.

Comme souvent en ce lieu de bienvenue, le programme iconographique incite à entrer plus avant dans l'église, vers l'autel et vers la lumière. Les trois thèmes dépeints ici ne dérogent pas à la règle : le fidèle est accueilli au premier coup d'œil par un Christ triomphant qui semble vous bénir au passage. Avec allant, anges et apôtres se prosternent autour de lui sur l'arc doubleau adjacent. Les figures peintes se font ainsi écho d'une surface à l'autre. Enfin, le troisième thème, bien qu'à côté du portail extérieur, est celui que l'on aperçoit en dernier : l'Apocalypse. Contre toute attente, à l'époque romane, l'Apocalypse, loin d'être effrayante, est une allégorie de l'expansion de l'Église, de ses vicissitudes, de ses combats et de ses joies dans le passé, le présent et le futur. Optimisme, triomphe de l'Église terrestre et retour du Christ sur terre pour la fin des temps : telles sont les clefs de l'Apocalypse au Moyen Âge. Le Christ en gloire, vénéré par anges et apôtres, et une vision positive de l'Église accueillent ainsi un fidèle rendu serein.

LE CHRIST EN GLOIRE, LES ANGES ET LES APÔTRES

Couronnant la porte qui mène paroissien ou pèlerin vers la nef, le Christ en gloire est visible dès le seuil du porche. Jésus assis sur un trône ocre jaune pose ses pieds sur un *scabellum*. Son corps s'inscrit presque entièrement dans une gloire circulaire ourlée de nuées. De ce fond coloré, seules se détachent son auréole et ses mains. La droite bénit symboliquement celui qui passe la porte. Le geste de la bénédiction se fait à la manière byzantine, en joignant pouce et annulaire. Ses vêtements sont rehaussés d'un ruban vert orné de cabochons. Derrière sa tête est placé le nimbe crucifère, indice efficace de son identité. À sa droite, des anges tiennent en leurs mains la croix. Nullement croix de la Passion, des souffrances, - ni les stigmates, ni d'autres instruments de la Passion ne figurent dans cette composition — cette croix est au contraire ici présentée comme l'instrument du triomphe du Messie pour la fin des temps. Christ de la Parousie, il invite à l'optimisme.

Le Christ en gloire accueille les fidèles.

Le décor du porche en son entier s'articule autour de cette figure du Christ. Quatre séries de trois apôtres trônant sur des globes de couleur sont dépeints sur l'arc doubleau oriental. Des anges adorateurs se prosternent vers le Christ. Leurs gestes sont gracieux. Leur courbure s'adapte au cadre qui les reçoit, emblématique de l'art roman. Par groupe de trois, les apôtres sont placés de front. Pour les distinguer, le peintre alterne les couleurs de leurs robes et de leurs auréoles. Les plis de leurs vêtements sont peints avec finesse : leurs épaules sont rehaussées de traits de couleur blanche qui prennent la forme d'un petit crabe. On retrouve ces « crabes » sur les ventres et sur presque toutes les articulations. Le détail du plissé est précis et réaliste.

L'élaboration des visages angéliques procède d'une manière emblématique des maîtres de Saint-Savin. Les sourcils sont une accolade blanche ajoutée *a secco*. Le nez est un simple trait bordé de deux points blancs à la base pour les narines. Les lignes blanches suggèrent les parties saillantes tandis que les lignes ocre brun désignent les parties ombrées. Les pommettes sont de généreuses taches ocre rouge.

L'APOCALYPSE

Cette "*danse*" des anges et des apôtres jouxte les scènes de l'Apocalypse sur la voûte. Cette voûte est divisée en deux par un arc doubleau. Seules certaines peintures placées à l'Est de ce doubleau sont encore visibles. Le registre inférieur méridional, ainsi que le décor du doubleau occidental et du revers de la façade ont presque entièrement disparu. Les fresques encore lisibles sont réparties sur trois registres placés de part et d'autre d'une bande faîtière décorée en damier, selon une disposition classique de la peinture monumentale romane.

Si au fil de l'histoire, le mot « apocalypse » a pris dans l'imaginaire collectif le sens de fin des temps, à l'époque des bâtisseurs romans, il est au contraire synonyme d'espoir. Se basant sur cette vision optimiste, ce thème est représenté dans la salle qui primitivement recevait tout fidèle.

Texte ô combien mystérieux, l'*Apocalypse* fait partie du *Nouveau Testament*, qu'il conclut. On le doit vraisemblablement à l'apôtre Jean : à Patmos, dans des visions mystiques, le Christ glorieux lui aurait dicté ce texte.

Écrit en période de persécutions chrétiennes, le livre de l'*Apocalypse* fait miroiter aux chrétiens que les troubles présents sont amenés à céder le pas dans un laps de temps indéterminé — le *millenium* — au triomphe de l'Église, au retour du Christ sur terre pour la fin des temps.

Le livre de saint Jean, par delà le présent parfois catastrophique, dévoile la gloire future du peuple de Dieu, que réalisera l'intervention divine. Dans le futur, tous les ennemis de l'Église seront terrassés. Ce message unique est véhiculé dans le texte par des visions symboliques et répétitives.

Seules certaines de ces visions, les plus populaires à l'époque, sont présentes. Elles font ici référence aux chapitres relatifs au présent de l'Église, soulignant le parallèle entre la lutte actuelle de l'Église et celle, quotidienne, de tout croyant.

17

Le fléau des sauterelles

À gauche du puits de l'abîme qui vient d'être ouvert par un astre, se tient le cinquième ange à la trompette. De l'abîme jaillissent des sauterelles et une épaisse fumée qui assombrit l'atmosphère. Les sauterelles ont pour mission de tourmenter cinq mois durant les hommes n'ayant pas le sceau de Dieu sur le front.

Les formes des sauterelles ressemblaient à celles de chevaux préparés pour la guerre; sur leurs têtes, il y avait des sortes de couronnes, qui paraissaient d'or; leurs visages étaient comme des visages d'hommes; elles avaient des cheveux comme ceux des femmes; leurs dents étaient comme celles des lions; elles avaient des poitrines comme des cuirasses de fer; le bruit de leurs ailes était pareil à celui de chars à multiples chevaux, qui courent à la bataille; elles ont des queues semblables à des scorpions, et des dards dans leurs queues.

Apocalypse, IX, 7-10.

La nuée qui ondoie autour du soleil, l'anatomie des sauterelles, les hommes tourmentés: tant de détails attestent une fidèle retranscription de la Bible pour cette scène comme pour les suivantes. La beauté de la scène repose sur l'art de la composition, le mouvement des sauterelles à la sortie de l'abîme et l'art de multiplier les sauterelles en un espace restreint avec un camaïeu de tons chauds.

La libération des quatre anges

Ici se poursuit la transposition du texte biblique:
Le sixième ange sonna de la trompette. Et j'entendis une voix sortant des quatre cornes de l'autel d'or, qui est devant Dieu; elle disait au sixième ange, celui qui tenait la trompette: "Délie les quatre anges qui sont enchaînés vers le grand fleuve Euphrate." Et furent déliés les quatre

anges qui se tenaient prêts pour l'heure, le jour, le mois et l'année fixés, afin d'exterminer le tiers des hommes.

Apocalypse IX, 13-15.

À gauche de la scène, l'ange joue de la trompette d'une main ; de l'autre, il libère les anges prisonniers. Les plis de son vêtement sont très accusés, sa posture dynamique. L'eau du fleuve est suggérée par une flaque blanche rythmée de vaguelettes. En bas à droite des anges, partent les cavaliers dont l'échelle est bien moindre. Au dessus d'eux, dans le demi-cercle divin symbolisant le ciel, est représenté l'autel d'or. Là encore les peintres font preuve d'ingéniosité pour représenter des scènes magistrales en un espace restreint en ne faisant que suggérer les éléments de grande taille ou le grand nombre.

La femme et le dragon

L'épisode de la femme et du dragon est un des plus dépeints de l'*Apocalypse*. Saint Jean, le narrateur, se tient à gauche. Au dessus de lui, le temple de Dieu est ouvert et on y aperçoit l'arche d'alliance (Apoc. XI, 19). Dans la moitié droite est dépeint l'épisode lui même:

Un grand signe apparut dans le ciel: une Femme revêtue du soleil, ayant la lune sous les pieds (…) elle est enceinte et crie en proie aux difficultés et aux douleurs de l'enfantement. Un autre signe apparut dans le ciel: c'est un grand dragon couleur de feu, avec sept têtes et dix cornes (…)Le dragon se plaça en face de la femme sur le point d'enfanter pour pouvoir dévorer son enfant quand elle l'aurait mis au monde. Elle enfanta un enfant mâle, celui qui doit mener les nations avec un sceptre de fer. L'enfant fut ravi auprès de Dieu et de son trône.

Apocalypse XII, 1-6

À droite, le dragon à sept têtes essaie de noyer la femme, personnification de l'Église, avec un fleuve d'eau qui coule à ses pieds, afin de s'emparer de l'enfant. Surgi du temple de Dieu inscrit dans le demi cercle céleste, un ange sauve le nouveau né: vision de victoire de l'Église.

SAINT MICHEL

Alors arriva une guerre dans le ciel : Michel et ses anges eurent à batailler avec le dragon. Bien qu'en grande partie effacée, cette scène est d'un grand lyrisme. Au centre se tenait le dragon assailli à gauche par Michel et ses anges dans une composition presque symétrique où ailes et épées donnent dynamisme à l'ensemble. Les détails anatomiques des chevaux sont saisissants.

PERSONNIFICATION DE L'ÉGLISE TERRESTRE

Au centre de cette composition très dense, trône une femme — peut-être la Vierge, peut-être une personnification de l'Église. Elle se détache hiératiquement sur un fond blanc, encensée par deux angelots qui l'encadrent. À sa gauche, se tiennent huit clercs tonsurés menés par leur abbé qui tient la crosse et est paré de jaune.

De haut en bas : le fléau des sauterelles, la libération des anges et la personnification de l'Église terrestre.

À gauche de la femme, devant de nombreux laïcs aux visages stéréotypés, se détachent deux hommes barbus et couronnés. Entre les laïcs et la femme, deux saints hommes semblent s'adresser à elle d'un geste de la main. L'un est encapuchonné, l'autre tient en ses mains une couronne.

Interpréter cette scène reste hasardeux. Selon toute vraisemblance, il peut s'agir de la personnification de l'Église terrestre, ici encadrée par ceux à qui on doit la fondation de Saint-Savin : la communauté de l'abbaye dirigée par le père abbé, et les grands laïcs du temps de la fondation. Parmi ces gens, on pourrait reconnaître Charlemagne, à qui on doit le *castrum* de Saint-Savin, son fils Louis le Pieux, qui est l'origine de la réforme bénédictine, Guillaume le Grand, et Benoît d'Aniane, personnage encapuchonné.

Sans doute a-t-on affaire à une analogie entre l'Église céleste et l'Église terrestre, incarnée ici par la communauté de Saint-Savin.

Dans l'ensemble, les peintures du porche ont un thème et un style en adéquation avec la destination du lieu. Espace relativement restreint, bas et sombre, les peintres y ont adapté leur technique. Le spectateur étant proche des peintures, les figures humaines sont de taille assez restreinte, la finesse des détails est perceptible avec acuité. Les rehauts blancs qui donnent toute la légèreté des plissés et la finesse des visages sont bien conservés dans cette partie de l'église. La pièce est relativement obscure, donc les tons sont très clairs, les fonds blancs nombreux. De cette capacité d'adaptation naît un style harmonieux et raffiné qui tranche avec les grandes figures humaines de la nef.

19

La tribune

La chapelle haute, dite tribune, de Saint-Savin ne se prête pas aisément à l'analyse. Cette haute salle voûtée se situe au-dessus du porche depuis lequel elle est desservie par un escalier étroit. Ni sa fonction liturgique, ni son programme iconographique complet ne sont parfaitement connus.

Le centurion

Cette méconnaissance a été aggravée par les dégradations qu'ont eut à subir les peintures récemment. En effet, la chapelle est dotée d'un éclairage provenant d'une part d'une grande baie qui s'ouvre à l'Est sur la nef, d'autre part à l'Ouest de deux étroites fenêtres : ses deux fenêtres ayant été dépourvues de vitraux jusqu'au XIXe siècle, le vent et la pluie ont pu s'y engouffrer. De ce fait, les peintures de la paroi Ouest sont pour ainsi dire illisibles, et l'ensemble des peintures, très dégradé.

On reconnaît toutefois un programme iconographique triomphal : la Passion et la Résurrection du

Les trois saintes femmes.

Christ. La qualité stylistique des peintures a conduit à considérer que leur auteur serait le meilleur peintre de l'atelier. Il aurait aussi œuvré aux fresques de la salle capitulaire de la Trinité de Vendôme avec lesquelles la parenté stylistique est patente. Les personnages sont traités avec une rare finesse quoique apparentés à ceux du porche et du chœur, et de la nef en certains endroits.

Outre la qualité de la peinture, qui contraste avec la nef, la tribune constitue un lieu à part dans le programme iconographique de l'abbatiale puisqu'elle est la seule partie de l'église à mettre en scène le Christ.

PASSION ET RÉSURRECTION

La distribution des peintures s'organise autour d'une scène-clef : la descente de croix.

Placée au dessus de la baie d'axe ouvrant sur la nef, elle est logée dans une lunette dont le peintre a su tirer parti. Le centre de la composition est occupé par la croix. Le sommet de la croix se confond avec un aigle et des entrelacs sculptés, reliquats de l'ancienne façade à laquelle a été accolée la tour porche. La lune à gauche et le soleil à droite encadrent la croix. Le corps du Christ inerte est soutenu à droite par Joseph d'Arimathie. Il enserre le Christ dans ses bras aux fines mains, les pieds campés de part et d'autre de la croix. Le visage de Joseph et le corps décharné du Christ aux pieds encore cloués invitent à la compassion. À gauche, Marie saisit la main de son fils, qu'elle plaque contre sa joue, comme pour constater sa mort. Derrière elle, dans une posture qui indique l'effroi, se tiennent saint Jean et un de ses disciples. A droite de la croix, l'attention de Nicodème et de trois saintes

Joseph d'Arimathie et Marie descendent le Christ de la croix.

20

femmes est accaparée par la descente de croix qu'ils désignent. La finesse est partout, dans le drapé de saint Jean, de la sainte femme en jaune. Les visages dégagent beaucoup d'émotion.

L'arc qui encadre cette paroi lui fait écho : à la base de l'intrados de l'arc à gauche, le centurion appelé par Pilate atteste la mort du Christ, après avoir affirmé : *Assurément, cet homme est bien le fils de Dieu. Marc, XV, 44-45.* Logé dans un décor richement architecturé, vêtu d'une chlamyde comme les romains, il est identifié par une inscription en ocre rouge *CENTURI / O.* Il indique la déposition de croix, comme pour s'en faire le témoin. D'ailleurs, la présence affirmée de certains éléments a pour but de contrer les hérétiques qui remettaient parfois en cause la mort de Jésus : montrer Marie qui touche la dépouille de son fils ou le centurion qui atteste la mort du Christ sert cet objectif. La pendaison de Judas fait face au centurion. Pendu à un arbre, visage muet, mains inertes, paumes vers l'extérieur : cette image de désespoir s'oppose à la déposition de croix qu'il ne faut pas voir comme pathétique, mais comme le triomphe du Christ lors de la Résurrection, la gloire de celui qui désormais règne pour l'éternité. Arbre de vie, le bois de la croix s'oppose à l'arbre de mort auquel s'est pendu Judas. Le bois de l'arbre du fruit défendu est ce par quoi les hommes ont péché pour la première fois. Mais c'est par le bois que le Christ rachète les péchés des hommes lors de la crucifixion.

Au sommet de l'intrados de l'arc, deux anges d'un dynamisme aérien, pieds croisés, gagnant la sphère céleste arborent avec majesté un médaillon dans lequel on devine une main de dieu bénissant sur une croix pattée. Ils sont dominés par deux anges, en équilibre sur l'arc. Ils portent un médaillon dans lequel est figuré un agneau. Ils sont eux même encensés par des anges qui se détachent sur fond blanc.

Sur les murs voisins, le décor continue de faire écho à la scène centrale. Parmi les scènes lisibles, à droite de Judas, sur le mur Sud est dépeinte la déploration du Christ. Aux pieds du centurion et de saint Jean sont réunies les trois Marie. Leur attention est tournée vers le tombeau vide situé sur la paroi en face. Elles portent un pot dans lequel est gardé le liquide avec lequel elles vont oindre le corps

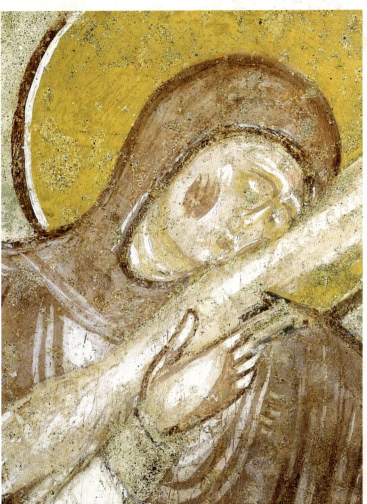

du Christ. L'ensemble du mur est dominé par le Christ victorieux encadré par deux martyrs.

SAINTS, MARTYRS, APÔTRES ET ÉVÊQUES

Le reste du décor a sérieusement pali. Toutefois, subsistent encore de nombreux personnages en pied, saints, évêques, martyrs. Saint Savin et saint Denis sont deux des figures identifiées. Deux épisodes de la vie de saint Denis sont illustrés. À la base de la voûte, une galerie de martyrs figure dans des arcades peintes. Symboliquement les piliers sont ornés de saints en pied, supports de l'action de l'Église « *construite au moyen des pierres vivantes que sont les saints* ». Plus les personnages sont placés haut, plus leur taille croît : notre œil les rapetisse et les met à la même échelle que les autres. Ainsi la taille des personnages s'échelonne d'environ un mètre cinquante à quatre mètres pour les plus grands situés sur la voûte.

L'aspect monumental réside aussi dans le fait que la peinture crée sa propre architecture : ce jeu de trompe-l'œil permet de créer des arcs, des arcatures qui abritent les protagonistes… Certains personnages comme les anges qui portent un médaillon prennent appui sur un arc peint. D'une paroi à l'autre on se répond, à l'instar du centurion qui de l'index montre la paroi voisine de la déposition de croix pour confirmer la mort du Christ.

UNE FONCTION ÉNIGMATIQUE

S'il est indéniable que l'ensemble est animé d'une logique, elle demeure difficile à saisir. Pourquoi des peintures d'une telle qualité sont-elles exécutées dans un lieu si mal desservi, donc si peu utilisé ? La présence des scènes relatives à saint Denis suffit elle à dire que cet espace lui était dédié ? Les saints dépeints ont-ils pour but de célébrer un culte dans cette chapelle à la Toussaint ?

Les peintures de la nef

L'Ancien Testament, prologue de la vie de l'Église

Point d'orgue de la vie liturgique, Pâques est préparé par la lecture, le chant comme par l'image, pendant 70 jours, dès le dimanche de la Septuagésime. On lit à la veille du Carême l'Épître aux Hébreux. Ce texte conte la foi de personnages de l'Ancien Testament, particulièrement de la Genèse et de l'Exode, au début de la Bible : Abel, Noé, Abraham, Joseph ou Moïse. Leurs vies sont jugées dignes d'intérêt car certaines préfigurent la vie du Christ. Par exemple, Joseph est vendu par ses frères comme Jésus sera vendu par Judas, Moïse sauve son peuple comme le Christ sauvera le sien. Ces vies sont exemplaires. Rien d'étonnant alors à ce que les peintures de la nef relatent ces destinées, suivant le fil de l'Épître aux Hébreux.

La lecture ne peut être continuellement faite dans les églises, mais la représentation par l'image y est comme une chaire qui, le soir, le matin et au milieu du jour, raconte la vérité de ce qui s'est passé.

Deuxième concile de Nicée, en 787.

Sur la nef
comme dans un livre ?

La voûte de la nef, support de ce récit, est divisée dans sa longueur par une grande frise. Selon une disposition fréquente en peinture romane, deux registres au Nord et deux au Sud se déploient de part et d'autre de cette frise. Soit quatre registres sur toute la nef, de 42 mètres chacun.

Les épisodes de l'Ancien Testament auraient pu s'enchaîner de gauche à droite, de bas en haut, et du Nord au Sud, comme dans un livre. Il en est bien autrement pour des raisons symboliques. L'Est, direction chère aux chrétiens, évoque le soleil levant, la direction de Jérusalem, de la lumière, et du Christ. C'est donc souvent vers lui que progressent les personnages positifs. À l'extrémité Est de la nef est l'autel, lieu de communion par le pain et le vin. Il est légitime qu'à côté de lui on place les épisodes liés au pain et au vin : le froment de Joseph, le vin de Noé.

En revanche, les personnages insoumis tournent le dos à l'autel dont ils s'avèrent indignes et s'engagent vers l'Ouest, direction négative de l'obscurité, de la terreur, des païens, sinon de l'enfer. L'illustrent Cham se moquant de son père Noé, ou la destruction de Sodome et Gomorrhe à l'extrême Ouest.

Respectant, autant que faire se peut, ces impératifs symboliques, la progression des cycles est par conséquent irrégulière. Toutefois, outre les accidents de parcours, une logique générale émerge dans la disposition des cycles narratifs de la nef. Si un registre progresse d'Ouest en Est, et de gauche à droite, le suivant, d'Est en Ouest de droite à gauche, et ainsi de suite en zigzags. Cette progression est celle du « boustrophédon[1] », qui doit son nom à un mode d'écriture antique.

Forts de ce déroulement linéaire, les cycles échappent au compartimentage. Ils sont liés par une ligne de sol qui court sur plus de 160 mètres. À ce dynamisme linéaire s'ajoute l'harmonie des peintures réalisées en un laps de temps réduit, aux couleurs et aux styles homogènes. Ainsi, sur 460 mètres carrés de voûte, à près de dix-sept mètres au-dessus du sol, vivent des géants de deux mètres dont les vies épiques appartiennent à la grande famille de l'Ancien Testament.

[1] Boustrophédon : écriture archaïque qui se déroule successivement de gauche à droite puis de droite à gauche.

Peintures
nef

La création

La mise en images de l'Ancien Testament sur la voûte de la nef débute logiquement par la Création, commencement de toute chose d'après l'histoire biblique. Le cycle débute au registre supérieur Nord avec des scènes qui demeurent invisibles.

Si le déroulement historique du texte biblique est dûment suivi, comme c'est le cas pour la majeure partie des cycles du décor mural, on peut imaginer que ces peintures illustraient la création du ciel et de la terre, du jour et de la nuit, des mers, des continents puis des végétaux. Il reste de la Création des végétaux quelques témoins, à gauche du Dieu de la création des astres. Ils ponctuent ensuite le cycle, rappelant le jardin de l'Éden dans lequel se passe la scène. Une de ces espèces végétales, qui semble de prime abord appartenir à la famille des champignons, serait en fait un pin à feuillage en parasol. L'influence antique peut expliquer la présence de cette espèce très appréciée pendant l'empire romain.

LA CRÉATION DES ASTRES

Toujours parfaitement visible, la création des astres succède à ces scènes disparues aux décors végétaux. Elle nous est contée en une page magistrale. Dieu, apparaissant sous les traits du Christ avec son nimbe crucifère se tient de profil. Ses bras tendus vers le ciel, il propulse de ses mains fines deux astres. De sa main droite s'élance le soleil : un cercle dans lequel est peint un visage d'homme irradiant de lumière. Selon une conception antique, on oppose à cet homme-soleil une femme-lune elle aussi circonscrite dans un cercle. Le sommet de sa tête est marqué d'un croissant blanc, le sceau lunaire — signe patent de son identité. Tous deux s'envolent vers le ciel. Le tour de main des artistes romans consiste ici à représenter l'impalpable, l'étendue céleste qui n'a ni commencement ni fin. Le cercle n'ayant lui non plus ni commencement ni fin est un raccourci symbolique pour suggérer les cieux. Il en reçoit d'ailleurs les étoiles.

Alors Dieu dit : qu'il y ait des luminaires au firmament du ciel pour séparer le jour de la nuit et qu'ils servent de signes et pour les époques et pour les jours et pour les années, et qu'ils soient des luminaires au firmament du ciel pour éclairer sur la terre et cela fut ainsi. Et Dieu fit les deux grands luminaires, le grand luminaire pour présider au jour et le petit luminaire pour présider à la nuit, et les étoiles. Et Dieu les plaça dans le firmament du ciel pour éclairer la terre, et pour présider au jour et à la nuit et pour séparer la lumière des ténèbres.

Genèse I, 14-18.

Après la création des astres, vient la création des animaux, aujourd'hui disparue.

LA CRÉATION DES PREMIERS HOMMES

Ensuite, pour retracer la création des parents de l'humanité, les peintres interrompent leur progression vers l'Est après le troisième arc doubleau. Ils reprennent le récit au registre inférieur Nord, toujours d'Ouest en Est. Quelle explication donner à ce « retour à la ligne » ? La partie orientale de la nef demeurait-elle inachevée ? A-t-on voulu placer Adam, le premier des hommes, en parallèle avec le premier des

Création des astres.

croyants, Abraham, qui lui fait pendant au Sud, comme souvent au Moyen Âge? Difficile de répondre.

Il n'est pas bon que l'homme soit seul, faisons-lui une aide semblable à lui. (…) Alors Yahweh fit tomber sur l'homme un sommeil profond et il s'endormit ; il prit une de ses côtes, ferma l'emplacement avec de la chair. Et Yahweh bâtit une femme de la côte qu'il avait prise à l'homme et il l'emmena à l'homme.

Genèse II, 18-22.

La transcription en image est encore d'une grande exactitude. Dieu à l'extrême Ouest se penche sur le corps inerte d'Adam endormi. Le tenant par le bras, il extrait la côte à partir de laquelle il façonne Ève. La courbure du Christ, la silhouette gracile et élancée d'Adam assoupi, la délicatesse de la main tendue de Dieu rappellent sans conteste le style des peintres du porche et de la tribune. Qu'il s'agisse ou non des mêmes artistes, les rehauts blancs sur les tons chair des nus, la finesse des draperies à l'antique aux plis lumineux permettent d'établir une filiation entre ces groupes de peintures.

Dans les deux scènes suivantes, la grâce des personnages est toutefois entachée par des repeints maladroits. Ève est par exemple devenue barbue et le haut des corps a été repeint à grands traits.

À droite de Dieu penché sur Adam, séparé par un arbre, Dieu au centre présente à Adam sa compagne Ève, utilisant au maximum les gestes des mains. Après un autre arbre, Ève s'adresse au serpent qui se tient debout face à elle, l'incitant à goûter au fruit défendu de la connaissance du bien et du mal.

LA CHUTE

À l'Est de l'arc doubleau, après le péché originel, très effacé, subsistent quelques fragments difficilement identifiables d'Adam mangeant le fruit défendu, de l'admonestation d'Adam et Ève par Dieu et de leur expulsion de l'Éden qui s'achève avant le troi-

sième doubleau.

L'histoire poursuit ensuite son cours après un passage au registre supérieur toujours dans le même sens. Chassés de l'Éden, Adam est condamné à travailler la terre pour se nourrir et Ève à enfanter dans la douleur et à être dominée par son mari. Peut-être, les trois mètres dépourvus de décor montraient jadis Adam labourant. L'espace laissé libre est tel que Adam devait labourer avec une charrue plutôt qu'en train de bêcher. Quant à Ève, elle est représentée filant sa quenouille, occupation féminine type au Moyen Âge.

Tous deux retransmettront leur châtiment à leurs descendants, instituant ainsi le prologue de la vie chrétienne.

Ève filant.

Peintures
nef

Caïn et Abel

Après avoir été chassés de l'Éden, Adam et Ève eurent deux fils, Caïn puis Abel. Le récit de leurs vies est comme souvent une fidèle mise en images du texte biblique.

Il arriva au bout d'un certain temps, que Caïn présenta des produits du sol une offrande à Yahweh ; Abel, lui aussi, en présenta une des premiers-nés de son troupeau et de leurs parties grasses. Yahweh regarda avec bienveillance Abel et son offrande, mais ne regarda point Caïn ni son offrande, et Caïn en fut très irrité et son visage abattu. Et Yahweh dit à Caïn : Pourquoi es-tu irrité et ton visage est-il abattu ? Si tu agis bien, ne peux tu lever ton visage ? Mais si tu n'agis pas bien, le pêché ne se couche-t-il pas à ta porte ? Son envie le pousse vers toi, mais toi tu dois le dominer. Caïn dit à Abel son frère : Allons aux champs. Caïn se dressa contre Abel, son frère, et le tua.

Genèse, IV, 3-8.

Se déroulant sur un fond blanc continu, l'histoire des deux hommes s'articule en trois pages majeures.

LES OFFRANDES DES FRÈRES À DIEU

Le cycle débute par les offrandes de Caïn et d'Abel à Dieu. Dieu apparaît sous les traits du Christ, alors qu'à l'époque

Dieu bénit l'offrande d'Abel.

on le représente plus volontiers par une main sortie du ciel. Dieu étant invisible, le Christ constitue un moyen tangible de le représenter. D'ailleurs bien des textes corroborent cette idée selon laquelle Dieu et le Christ sont indissociables. À titre d'exemple, dans l'*Épître aux Colossiens*, saint Paul écrit :

Il (le Christ) est l'image du Dieu invisible. Premier né de toute créature… Il est avant toutes choses et tout subsiste en lui.

Majesté et transcendance divines sont suggérées en le Christ par sa grande taille, son aspect hiératique, la grâce de sa posture, et notamment celle, fréquente, des pieds croisés.
Avec son vêtement jaune aux plis subtils en botte de joncs, il est ici le point d'orgue de la composition. À sa gauche, dans une position d'humilité, genou fléchi en geste de révérence et de soumission, se tient Abel. Berger, il présente à Dieu le fruit de son labeur. Il tient en ses mains sur un linge le plus jeune agneau de son troupeau. Son fléchissement transparaît dans l'envolée de ses vêtements. Sa robe se soulève lorsqu'il poste sa jambe droite en retrait et son manteau semble se gonfler. Caïn se tient derrière le Christ, manteau noué sur l'épaule. Il tend de ses mains nues une gerbe de blé à Dieu qui lui tourne

Caïn tue Abel.

le dos. Son profil dur aurait été retouché ultérieurement. Anticipant l'homicide de Caïn, le peintre ne l'a pas doté du nimbe que porte en revanche son frère. Des deux offrandes, Dieu décide de bénir, index et majeur tendus, celle d'Abel, tout en se penchant sur lui en signe de protection.

LE MEURTRE D'ABEL

Colère et jalousie incitent Caïn à éloigner son frère afin de le tuer. Le peintre place la scène sur un panneau rouge foncé qui met en relief l'acte de Caïn. L'envolée des plis du manteau et l'inclinaison du meurtrier laissent deviner la violence du coup porté. Sur le fond rouge, se détache le corps inerte d'Abel, enveloppé de son manteau jaune, mains relâchées vers le sol.

LA MALÉDICTION DE CAÏN

Mordant sur la bande rouge du meurtre, Dieu admoneste et maudit Caïn de la main gauche. De la main droite, il montre le corps d'Abel, preuve du délit. Caïn semble se défendre, montrant la paume de ses mains. Mais pour lui commence l'exil. Son visage et son buste encore tournés vers Dieu, ses jambes croisées donnent le sentiment de son départ imminent.

Dieu maudit Caïn.

Enoch

*Enoch marcha avec Dieu
et il disparut car Dieu l'enleva.*

Genèse, V, 24.

L'Ascension d'Enoch.

Enoch, patriarche dont la vie fut longue, est appelé au ciel par Dieu. Paré de son manteau jaune, il s'envole devant un écran de couleur verte. Il s'élève vers le ciel, symbolisé par un demi disque. Tout en son corps indique l'ascension : les plis du bas de sa robe blanche ourlée d'ocre rouge qui semblent aspirés vers le haut, la courbure de ses manches élevées vers le ciel, ces yeux grand ouverts tournés vers le disque céleste, le pli de son manteau à sa droite. Ces détails disent bien le zèle du peintre à exprimer l'élévation.
Enoch figure après le meurtre d'Abel car au royaume des cieux il aurait entendu la voix du mort qui réclamait justice. En règle générale, Enoch est un personnage peu prisé dans les cycles monumentaux du Moyen Âge. Les tableaux représentés ici étant choisis pour préparer le cycle pascal à l'aide de morceaux choisis de l'Ancien Testament, la présence d'Enoch se justifie par le fait qu'il préfigure l'Ascension du Christ. Aussi, il compte parmi les rares personnages de l'Ancien Testament à être monté au ciel sans connaître la mort.

L'art de représenter les corps

Si tous les personnages vivent leur propre histoire et sont identifiables aisément, la stylisation des formes et des corps procède des mêmes principes. Enoch se prête particulièrement bien à une analyse des formules graphiques des corps car les rehauts de ses vêtements sont bien conservés. Comme bien des personnages, il porte une robe et un manteau aux couleurs distinctes. Sur ces étoffes flottantes, les lignes soulignent la forme du corps. Les parties saillantes du vêtement qui renvoient la lumière apparaissent en blanc, alors qu'aux plis profonds sont réservés l'ocre brun. L'abdomen est généralement marqué par des tracés de bandes concentriques. Les ventres arrondis ont la forme d'une amande ourlée de plis blancs. Les cuisses voient leur modelé marqué par des faisceaux de traits verticaux légèrement arrondis — ou motifs en botte de joncs. Entre les jambes, des plis en V correspondent aux retombées du drapé. Les articulations sont figurées par un disque blanc, entouré de cercles non clos, formant comme un petit crabe. Le bas des étoffes est marqué par des plis cassés. Plis types jouant avec la lumière et le modelé, ces "trucs d'ateliers" participent grandement à la majesté des personnages, ajoutant ainsi à l'unité du décor peint.

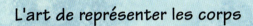
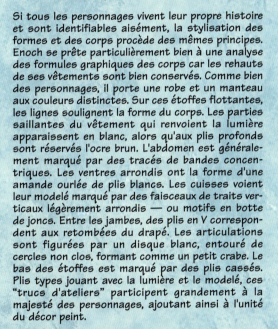

Noé, l'arche et l'ivresse

Dieu instruit Noé de ses intentions.

Fais-toi une arche de bois résineux ; tu feras des cellules dans l'arche et tu l'enduiras de bitume au dedans et au dehors. (...) Tu feras à l'arche une toiture (...) tu feras un premier, un second et un troisième étage. Et voici que moi je vais faire venir le déluge. (...) Et de tout vivant, de toute chair, tu feras entrer deux de chaque dans l'arche pour les conserver en vie avec toi ; ce sera un mâle et une femelle.

Genèse VI, 14-20.

Une arche à trois étages vogue sur les eaux. Vaste basilique universelle à trois niveaux, symbole de l'Église, elle contient les représentants d'une humanité déchue que Dieu veut recréer. Telle est l'image-phare de la nef de Saint-Savin, qui relate l'histoire de Noé et de sa famille. Cette épopée reçoit à Saint-Savin un développement privilégié et original.

DIEU INSTRUIT NOÉ DE SES INTENTIONS

Après la création, les hommes se multiplient sur la surface de la terre. Dieu les trouve mauvais. Un seul trouve grâce à ses yeux, Noé. Dieu veut détruire cette humanité pour en recréer une autre, meilleure, après un déluge purificateur. Il enjoint à Noé de l'aider.
La première scène montre Dieu donnant les instructions de la construction et du rassemblement à Noé. Bien que maladroitement retouchées, les mains indiquent que Dieu explique, ordonne. Noé acquiesce, paume des mains vers le ciel, genoux fléchis en signe de déférence. Dieu se tient dans cette position particulière du « Dieu dansant de Saint-Savin », les jambes croisées visibles sous les pans de son vêtement.

L'ARCHE

Si l'arche est une des scènes les plus fameuses de Saint-Savin, elle est aussi une des plus originales. Son allure de drakkar, sans rames ni voiles, conduit à penser que les peintres auraient pris pour modèle un manuscrit enluminé anglo-saxon. Généralement, on ne représente pas directement l'arche sur les flots car une place d'honneur est faite à sa construction, incluant jusqu'aux moindres détails. Ailleurs, notamment dans les enluminures, on peut trouver en un même cycle deux à quatre représentations de l'arche, fidèlement à la narration de la Bible.
Avec hardiesse, le peintre de Saint-Savin a rassemblé ces différentes scènes en une seule, monumentale. Ici, la construction est implicite dans la discussion entre Dieu et Noé. Montrer la construction de l'arche aurait pu s'avérer redondant avec la construction de la tour de Babel qui lui fait pour ainsi dire face. Du début à la fin du déluge, tout est ici synthétisé en une seule peinture.

L'arche vogue sur une eau blanche d'où émergent encore quelques noyés, témoins d'une humanité agonisante. Au dessus d'une bande jaune — peut-être la terre — se détache un ciel autrefois blanc et aujourd'hui vert. Une proue à tête de chien

lorgne un corbeau qui volette au-dessus de lui. Sans doute est-ce le corbeau que Noé envoie à la fin du déluge voir si le niveau des eaux est redescendu. Il dépêche ensuite une colombe dont le destin est plus célèbre : elle trouve la terre, et, pour le signifier à Noé, elle ramène en son bec un rameau d'olivier. À gauche de l'arche, se devinent les traits d'une silhouette inachevée (voir page 4).

Dans l'arche, faite de lattes de bois assemblées par des clous, se détache une véritable bâtisse architecturée à trois niveaux fidèle à la description biblique. Elle est encadrée par deux petits pavillons à l'architecture proche de celle des enluminures. Dans chacun des niveaux de l'arche cohabitent les êtres d'une même espèce : les quadrupèdes en bas, les volatiles au milieu, et les hommes, la famille de Noé, en haut. On a placé un couple par arcade. Entre les différentes espèces, aucun rapport de proportion n'est respecté, l'essentiel étant d'identifier les animaux de l'arche. La présence des humains est dite par leurs seuls bustes.

L'embarcation est encadrée par deux personnages qui semblent vouloir mettre en péril son équilibre. Élucider leur présence est difficile. Ils ne sont pas sans rappeler un passage du *Livre de la sagesse (XIV, 6)* :

Et, de fait, lors des origines, tandis que périssaient les géants orgueilleux,
l'espoir de l'univers se réfugia sur un frêle esquif.

D'après une légende juive, les deux géants auraient tenté de faire sombrer l'embarcation avant de sombrer eux mêmes. Une autre hypothèse a été émise : les deux hommes appartiendraient à la famille de Noé et seraient simplement en train de soulever le toit de l'arche pour libérer les rescapés à la fin du déluge.

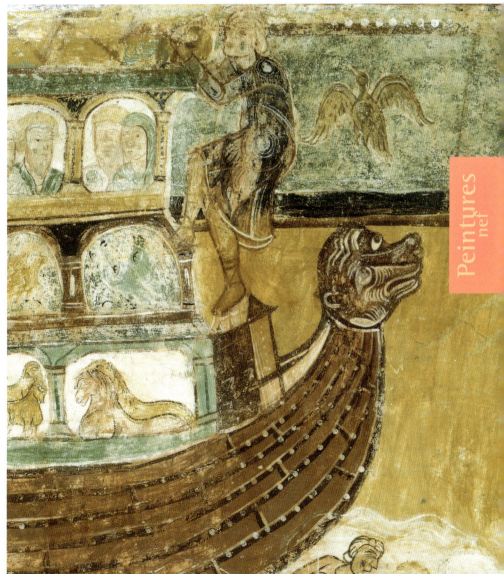

Dieu parla à Noé disant :
"Sors de l'arche,
toi et ta femme,
et tes fils
et les femmes de tes fils avec toi".

Dieu bénit la famille de Noé à la sortie de l'arche.

Genèse, VIII, 16.

À LA SORTIE DE L'ARCHE

Sont ici rassemblées en une seule et même scène la sortie de l'arche et la bénédiction par Dieu de la famille de Noé. À la sortie de l'arche, Noé et sa famille sont accueillis par un Dieu majestueux aux cheveux verts. Il se détache sur un fond ocre rouge. De sa main droite il bénit Noé et sa famille. Il porte un grand manteau jaune sur une robe verte recouverte sur le buste d'un orfroi serti de cabochons. De sa main gauche, il annonce le sacrifice offert par Noé à la scène suivante.

Noé, jambes croisées et fléchies avec des vêtements aux plis exagérément dynamiques, se courbe pour offrir à Dieu des holocaustes. Sur une table d'autel où se tient déjà un agneau, il dépose en un geste humble deux colombes. Il est agenouillé sur un sol bosselé fait de pains de sucre, visible à d'autres endroits de la nef, indiquant une zone montagneuse. Dieu se tient debout à côté et bénit Noé de sa main droite. Il s'agit du premier autel dressé mentionné dans la Bible. Ainsi est scellée l'Alliance entre Dieu et Noé, donc entre Dieu et l'humanité. Cette représentation prend symboliquement place à quelques mètres de l'autel majeur de l'église.

Les arbres de la nef

Noé taille sa vigne

La vigne, le vin et l'ivresse

Sur un fond blanc, Noé appliqué, le visage tourné vers sa vigne, vendange. D'une main il tient une serpe, de l'autre, il se prépare à recevoir la grappe convoitée. Le premier vigneron de l'Histoire est identifiable aisément grâce à son nom inscrit en ocre rouge. À gauche du visage actuel de Noé, on aperçoit une esquisse de ce même visage. Ce détail a été mis au jour par les restaurateurs. La justesse du tracé est telle qu'on préfère y voir une esquisse destinée d'emblée à être recouverte, un brouillon autrement dit, plutôt qu'un repentir ou qu'une erreur de positionnement. Cette scène de vendange prend place à l'extrémité Est de la nef, donc proche de l'autel où l'on célère l'eucharistie avec du vin.

*Noé bâtit
un autel à Yahwhé
et prit de tous
les animaux
purs et offrit des holo-
caustes sur l'autel.*

Genèse, VIII, 20.

33

Noé boit son vin devant sa demeure.

Le corbeau et le renard

L'ivresse de Noé

Le cycle fait volte face au niveau de l'autel et reprend son cours au registre opposé avec Noé qui boit son vin. Ainsi, les deux scènes qui ont trait au vin, sang du Christ dans la communion, jouxtent l'autel où est célébrée cette même communion et où est bu le vin de messe. Cette fois l'histoire de Noé ne se déroule pas d'Ouest en Est, mais d'Est en Ouest. Noé progresse dès lors dans la direction néfaste lors des épisodes de l'ivresse de Noé et de la malédiction de Canaan.

Le décor change et devient richement architecturé, suggérant non pas la tente de Noé comme le veut le texte, mais son palais. Noé boit son vin dans un bol devant cette architecture aux nombreux pinacles qui suggère un cadre urbain. Il se tient de face.

Comme pour suspendre le temps nécessaire à son ivresse, les peintres ont inséré une fable d'Ésope : le corbeau et le renard. Au pied de l'arbre réapparaissent de petits pains de sucre déjà vus sous les pieds d'Ève puis de Noé lors du sacrifice.

Ensuite, Noé est ivre sous l'effet de son vin. Le décor architecturé figure la cour de son palais par un renfoncement. Noé est étendu sur une couche de forme byzantine qui semble faite de marbre. La position de la couche dit bien la difficulté des peintres à travailler en accord avec la perspective : ce qui prime avant toute chose est que Noé soit visible. Il ne porte plus sa chlamyde blanche sur les épaules. Le bas de sa robe est grand ouvert, laissant apparaître son sexe. Les traits dépeignant son anatomie rappellent ceux d'Adam à qui Dieu prélève une côte. Ses yeux sont clos. Assistent à la scène quatre femmes, sans doute les épouses des parties prenantes, qui se pressent dans l'encadrement d'une porte, suggérant la foule à l'entrée du palais. Leurs mains expriment leur surprise. Deux de ses fils, Sem et Japhet, recouvrent leur père d'une riche étoffe pour cacher sa nudité et son ivresse. Le troisième fils, Cham, de jaune vêtu, genoux fléchis vers l'avant se moque de son père par sa posture et par ses mains pointées vers lui. Cette dénonciation de l'ivresse charnelle s'oppose à l'ivresse spirituelle.

Ensuite, comme pour fermer la parenthèse de l'ivresse déjà ouverte par un arbre, un chevreau est pendu dans un autre arbre lui aussi sur un fond blanc.

LA MALÉDICTION DE CANAAN

Rompant avec l'enchaînement des scènes de Saint-Savin, un bandeau sépare cette scène de la suivante la mettant ainsi en évidence, toujours dans le cycle de Noé. Au lendemain de son ivresse, Noé décide de punir Cham, son fils moqueur, de ses offenses. À cheval sur deux écrans colorés, Noé coiffé d'un chapeau se saisit de la main du fils de Cham, Canaan. Il s'apprête à donner ce dernier à Sem et Japhet, ceux de ses fils qui l'ont recouvert lors de son ivresse, sur fond vert. Les mouvements de Canaan et ses mimiques trahissent sa résistance. Sa chlamyde rouge ourlée de vert s'envole avec emphase pour venir mordre sur la scène précédente. Ses deux oncles s'expriment de concert : ils adoptent tous deux la même posture, suivant le principe de répétition. La division de la scène crée donc deux camps : le maudit sur fond jaune et les « élus » sur fond vert. Noé étant l'intermédiaire, il montre du doigt Canaan à ses fils à qui il s'adresse.

Ce groupe de quatre hommes n'est pas sans rappeler la combinaison utilisée pour montrer Joseph vendu par ses frères. Ce genre de parenté entre des scènes montre l'utilisation de mises en scènes préexistantes que le peintre adapte.

Les techniques de la peinture murale

Dans bien des esprits, qui dit peinture murale dit fresque. Or la fresque n'est qu'une des nombreuses techniques de peinture murale. À Saint-Savin, plusieurs techniques cohabitent

Une fois la construction achevée, on recouvre des pans de murs d'un enduit composé d'eau, de chaux et de sable fin. L'enduit apposé, l'artiste s'empresse d'y peindre avec des pigments minéraux (ocre jaune, ocre brun, ocre rouge, blanc de chaux...). En séchant, avec la carbonatation de la chaux au contact de l'air, l'enduit durcit et emprisonne les pigments colorés. Les couleurs et l'enduit sont dès lors solidaires : il s'agit de la technique à fresque.

Mais il arrive que le peintre n'ait pas le temps de peindre toute la surface enduite avant que le mortier soit sec. Une fois l'enduit sec, le peintre peut alors y passer une couche de lait de chaux avant de peindre, mais la peinture sera moins résistante qu'à fresque. C'est la technique a secco

Il peut aussi réhumidifier l'enduit avant de passer le lait de chaux et de peindre : c'est la technique dite a semi fresco.

Ces trois techniques ont été utilisées à Saint-Savin car les contraintes de la rapidité de la fresque ne peuvent pas toujours être respectées.

Peintures
nef

La tour de Babel

Toute la terre avait une langue unique et les mêmes mots. Partis d'Orient, les hommes se trouvèrent une plaine au pays de Sennaar et s'y établirent. Ils se dirent entre eux : Eh bien, faisons des briques et mettons les cuire au feu. La brique leur servit de pierre et le bitume de ciment. Ils dirent : Eh bien, construisons-nous une ville et une tour dont le sommet touche au ciel, et faisons-nous un nom, de peur que nous ne soyons dispersés sur la face de la terre. Yahwhé descendit pour voir la ville et la tour que bâtissaient les fils des hommes et Yahwhé dit : Voici qu'ils sont un seul peuple et n'ont qu'une langue pour eux tous et voici le commencement de leur œuvre ; maintenant rien ne leur sera impossible de ce qu'ils ont projeté de faire. Eh bien, descendons là, embrouillons leur langage de sorte qu'ils ne comprennent plus le langage les uns des autres. Et de là Yawhé les dispersa sur la surface de toute la terre et ils cessèrent de bâtir la ville.

Genèse, XI, 1-9.

Parmi les scènes les plus monumentales de Saint-Savin, émerge celle de la tour de Babel et de la confusion des langues. Elle court sur près de six mètres de long, sur un fond peint en blanc de saint-Jean[1]. Y sont narrés deux événements. À droite, présomptueux, les hommes s'accordent pour entamer la construction d'une ville-tour dont la taille serait si grande qu'elle atteindrait la hauteur du royaume de Dieu. À la vue de cette réalisation titanesque et orgueilleuse, la punition divine est

[1] Blanc de saint-Jean : blanc obtenu en appliquant du lait de chaux.

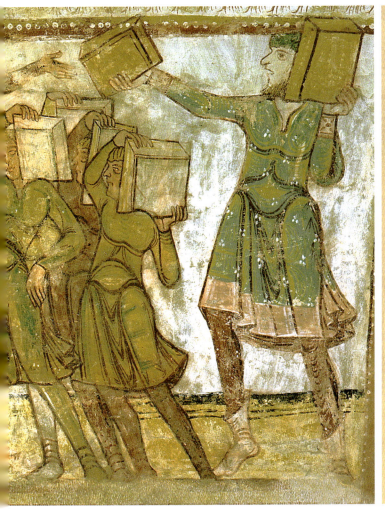

Retouches et restauration

Contrastant avec l'élégance de la composition, les quelques maladresses que l'on relève ne sont pas dues au peintre d'origine. En effet, pour Babel comme pour bien des décors peints de la nef, des retouches ultérieures ont été pratiquées. Le mauvais état de la voûte a pu suffire à justifier de telles interventions. Indices stylistiques et chronologie laissent penser que les modifications seraient imputables à des artistes de la période gothique, du début du xvie siècle, ainsi qu'assez souvent du xixe siècle.

L'évidence des retouches s'impose ici par la grosseur et la maladresse des traits, notamment ceux des visages et des chevelures. Par exemple, un des bâtisseurs qui se tient dans le groupe dense, à gauche de la tour, n'a de chevelure peinte que sur la partie droite du crâne.

Aussi, les traits qui doivent suggérer les joints de la pierre respectent habituellement une hiérarchie : deux traits, le trait épais est dessus ou à gauche, le trait fin dessous ou à droite, comme c'est le cas dans l'architecture de l'ivresse de Noé. Pour la tour, le peintre des retouches, méconnaissant les conventions romanes, a fait l'inverse.

quasi immédiate dans la partie gauche de la scène. Dieu apparaît en personne pour morigéner les bâtisseurs. Afin que cesse cette entreprise, il multiplie les langues, mettant fin à la compréhension au sein du chantier.

Cette scène fait suite à la répression par Noé du geste outrageux de Cham. Arrogance et orgueil, omniprésents dans ces deux épisodes de l'ivresse de Noé et de Babel, motivent un déroulement de ces deux scènes vers l'Ouest. Cette direction souligne l'éloignement de Dieu ainsi que la montée de l'orgueil et du pêché. L'Ouest, direction des ténèbres des païens, est ainsi réservé à la génération maudite qui succède à celle de Noé et qui s'achève par la restauration de l'Alliance entre Dieu et les Hommes avec Abraham.

Dans cette composition magistrale et symétrique, la tour de Babel est centre et pivot. Elle sépare matériellement la scène du chantier à droite et la confusion des langues à gauche. Élément central, elle est encadrée par deux personnages de grande taille : Dieu sur la gauche et un géant porteur de pierres sur la droite. Grâce au fléchissement des jambes des bâtisseurs placés de part et d'autre de la tour, tous les efforts paraissent tendus vers elle.

Sa composition est simple : une tour cubique avec des effets de perspective et des jeux d'ombres. Les colonnes qui la soutiennent sont de marbre — clin d'œil à celles de la nef de Saint-Savin ? Dominant la composition, sa taille est toutefois bien réduite comparée à celle des bâtisseurs : c'est l'échelle humaine qui compte aux yeux des peintres de l'abbatiale.

Abraham

Yahwhé dit à Abraham :
« Va t'en de ton pays, de ta famille et de la maison de ton père dans un pays que je te montrerai. Je ferai de toi un grand peuple ; je te bénirai et rendrai ton nom célèbre. Tu seras une bénédiction. Je bénirai ceux qui te béniront et maudirai ceux qui te maudiront.
En toi seront bénies toutes les races de la terre. »

Genèse, XII, 1-3.

Personnage-clef de l'Ancien Testament, Abraham est le premier personnage historique de la Bible. Ce fidèle entre les fidèles fait alliance avec Dieu, recevant ainsi la promesse d'une descendance dont la multitude n'aurait d'égal que les étoiles du ciel. La tradition le reconnaît ainsi comme le père, l'ancêtre, de tous les croyants. Rien d'étonnant alors à ce que son récit soit en face de celui du père des hommes, Adam. Le cycle d'Abraham se distingue par sa longueur, le plus long de la nef. En revanche, il compte au rang des cycles les moins bien conservés.

Conversation entre Dieu et Abraham.

Séparation de Lot et Abraham.

LA CONVERSATION DE DIEU ET ABRAHAM

À droite de l'arc doubleau peint, Dieu bénit Abraham d'une main tandis que l'autre, se détachant sur le fond jaune, indique la direction du pays de la prospérité. Abraham, barbu, a les genoux légèrement fléchis, en signe d'obéissance. Leurs mains indiquent le dialogue. Au-dessus de lui, au sommet du bandeau ocre jaune, on devine encore l'inscription qui permettait d'identifier Abraham.

À droite d'Abraham, un petit homme perché dans un arbre semble se livrer à la cueillette. D'une grande simplicité, l'arbre est doté de trois branches avec une boule de feuillage chacune. Symbole de prospérité, référence à la Trinité ou moyen pour le peintre de remplir une surface vide avant d'arriver à la scène suivante? L'arbre et l'homme ne se prêtent pas aisément à l'analyse.

LA SÉPARATION DE LOT ET D'ABRAHAM

Abraham et les siens se sont installés avec leurs familles respectives sur la terre de Canaan.

Lot, qui allait avec Abraham, avait aussi du petit et du gros bétail et des tentes. Mais le pays ne leur suffisait pas pour y demeurer ensemble; car leurs biens étaient trop considérables; aussi ne pouvaient-ils habiter ensemble. Une querelle s'éleva entre les bergers des troupeaux d'Abraham et les bergers des troupeaux de Lot. (…) Abraham dit à Lot: "Qu'il n'y ait point de discorde entre moi et toi, entre mes bergers et tes bergers; car nous sommes frères. Est-ce que tout le pays ne s'étend pas devant toi? Sépare-toi donc d'avec moi. Si tu vas à gauche, j'irai à droite; si tu vas à droite, j'irai à gauche".

Genèse XIII, 5-10.

Abraham est à droite dans le groupe. Paré d'un grand manteau jaune attaché sur l'épaule, il se tient majestueusement sur la pointe des pieds: la position de ses jambes correspond à l'incertitude de sa direction. Mais déjà, il semble se détourner, son regard tourné vers l'extérieur. À gauche d'Abraham, son neveu Lot en vert est légèrement penché vers la gauche, vers sa famille. Prêt à partir, ses jambes, ainsi que celles de son voisin sont légèrement inclinées vers la gauche, à l'opposé de son oncle. Les directions opposées d'Abraham et Lot transparaissent aussi dans les gestes des mains. Le groupe des femmes qui l'accompagnent ressemble à celui des Hébreux à la sortie de la Mer Rouge. Toutefois aucune comparaison n'est possible quant à la qualité du graphisme: les traits sont ici beaucoup plus accusés. Marqués en marron foncé, ces visages auraient fait l'objet de retouches gothiques. Néanmoins, ces repeints témoignent de l'intérêt encore porté aux peintures plusieurs siècles après leur élaboration.

39

LOT CAPTIF

Lors d'une guerre, les rois de Sodome et Gomorrhe vaincus voient leurs villes pillées. Lot, habitant de Sodome, est ainsi fait prisonnier. Les jambes des trois hommes, à gauche de la tour crénelée, pourraient bien être celles de Lot et de ses ravisseurs. Ils viennent enfermer leur prisonnier à l'ombre de cette tour crénelée, au sommet de laquelle un guetteur sonne de l'olifant. Les scènes suivantes ont disparu, effacées pour certaines, déposées pour d'autres : Lot libéré par Abraham, Abraham lors de sa rencontre avec Melchisédech qui le remercie de sa victoire, l'apparition des trois hommes, leur repas ou (?) la destruction de Sodome et Gomorrhe. La scène du combat des rois, déposée est aujourd'hui visible dans les bâtiments conventuels.

Au registre inférieur, figurait peut-être Abraham prêt à immoler son fils Isaac sur la demande de Yahwhé. Cette scène préfigurait le sacrifice que Dieu ferait avec le Christ lors de la passion. Enfin l'ange de Dieu qui bénit Abraham pour le remercier de son obéissance suprême est la dernière scène lacunaire.

Après ces scènes invisibles, à la deuxième travée du registre inférieur, on aperçoit Abraham assis sur un trône architecturé. Malgré les dégradations subies dans la partie supérieure du registre, on distingue à droite d'Abraham les animaux de son troupeau qu'il offre à son fils Isaac.

L'ENSEVELISSEMENT D'ABRAHAM

Les funérailles d'Abraham, ultime scène du cycle, ont été très retouchées dans la partie supérieure à l'époque gothique ou au XIXe s.. À en juger par les traits grossiers dont a été affublé le visage d'Abraham, la qualité du peintre d'origine est loin d'être égalée.

Les deux fils d'Abraham, Isaac et Ismaël. déposent la dépouille de leur père dans un sarcophage. Les gestes paraissent lents et figés, montrant la solennité de l'évènement. Les mains portées aux visages témoignent de l'affliction de l'entourage.

Lot prisonnier.

40

Mise au tombeau d'Abraham.

Q uelle que soit la date des peintures de Saint -Savin, elles n'en sont pas moins un des monuments les plus précieux d'un art à son enfance, dont si peu d'ouvrages se sont conservés jusqu'à nous. Il est affligeant de penser qu'une grande partie de ces fresques a disparu, peut-être sans remède, sous le badigeon des vandales qui ont blanchi la plus grande partie de cette intéressante église. Le reste est menacé d'une destruction prochaine. La voûte de la nef, crevassée en plusieurs endroits, s'écroulera au premier jour, si elle ne reçoit pas de promptes réparations. Je n'hésite point à le dire, Monsieur le Ministre, je ne connais aucune restauration plus urgente que celle de Saint-Savin, et je vous conjure de la faire exécuter d'une manière convenable.

Prosper Mérimée,
Notes d'un voyage dans l'Ouest de la France,
1845-1846.

Les défis de la restauration

Ce cycle est très endommagé. Condensation, infiltrations, désorganisation des mortiers, fissures sont parmi les principaux facteurs de dégradation. Les restaurateurs tentent aujourd'hui de stopper et de prévenir ces dégradations en assurant le maintien de bonnes conditions hygrométriques… En dernier recours, des solutions plus radicales existent. Par exemple, la dépose (a strappo) permet de détacher la couche picturale de son support en mauvais état ou menacé, pour la transplanter temporairement sur toile. Ce fut la technique appliquée pour la Rencontre d'Abraham et de Melchisédech, et le Combat des Rois lorsque la fragilité des arcs doubleaux menaçait le mortier, support des peintures (1968-1974). D'autres méthodes existent si la scène n'a été que partiellement endommagée, comme dans la Captivité de Lot. Pour en restaurer la lisibilité ou du moins donner de la patine au mortier neuf, on peut teindre les lacunes de façon neutre. Dans un ton local, on traite le motif disparu avec des traits minuscules, visibles de près, harmonieux vus de la nef. Cette restitution à traits rompus (a rigattini) semble être le juste milieu entre la reconstitution des peintures et la vérité archéologique. Ces restaurations respectent deux impératifs : lisibilité des peintures et réversibilité des interventions.

41

Hommes et architectures

Cadre de la vie des hommes, l'architecture est pour certaines scènes de Saint-Savin ce que le décor est au théâtre. Si la plupart des scènes sont dépourvues de fond historié, celles qui d'après les textes bibliques se déroulent en un lieu précis voient leur cadre restitué pour une meilleure compréhension. Ainsi, lorsque Noé boit son vin devant une bâtisse, c'est par référence au Texte qui précise que Noé goûte son vin sous une tente. Toutefois, le texte biblique a été adapté et la tente remplacée par sa version romane en pierre. Large, ce bâtiment assure la transition d'une scène à l'autre, permettant aussi de la souligner. Il s'accorde par sa taille à celle du personnage qu'il met en valeur. D'une faible hauteur donc, il est symboliquement rehaussé par des clochetons, des toits coniques, des tourelles, voire des maisons, laissant deviner une ville. L'architecture ne doit pas outrepasser ce pour quoi elle est ici représentée : servir de cadre à l'action des personnages bibliques, d'où la taille réduite des bâtiments. Faire œuvre de réalisme est accessoire, seule la suggestion du lieu compte, qui ne doit pas se faire au détriment de la représentation des personnages. Plus qu'un cadre de vie, l'architecture donne un indice sur le lieu.

De cadre il s'agit vraiment car les bâtiments n'ont ni portes ni fenêtres lorsqu'ils reçoivent un des protagonistes de la nef. Les personnages s'inscrivent plastiquement devant les maisons. Mais ils ne sont pas physiquement à l'intérieur. Alors, la façade est réduite à un écran coloré qui tranche avec les vêtements. Seule la toiture est détaillée. Sur les parties latérales des constructions fleurissent arcatures, frontons triangulaires, créneaux, tourelles. Les colonnes de marbre font écho à celles qui soutiennent la voûte de la nef, comme un jeu d'architecture gigogne. Les joints des pierres sont représentés avec minutie selon un standard : un trait épais en haut, un trait fin en bas.

Les peintures de la crypte forment un cas à part, très riches en architectures. Certes, le martyre des deux saints qui y est conté se passerait dans une ville. Toutefois, cette seule explication paraît insuffisante. Selon Y.-J. Riou, deux hypothèses permettraient de justifier la profusion de fonds monumentaux. Il est possible que le peintre se soit inspiré, pour restituer la vie des deux martyres, d'un manuscrit enluminé. Or on sait que le style des enluminures est très chargé en fonds architecturés. Ou, le (les) artiste(s) pouvai(en)t être eux même enlumineur(s). Dernière hypothèse, la crypte étant un reliquaire, on l'a pourvue d'un décor architecturé, commun dans ce genre de lieu.

Les bâtiments sont en tous cas de teintes foncées, rehaussés de blanc et très détaillés.

Joseph

Souvent confondu avec Joseph, père du Christ, Joseph, arrière petit-fils d'Abraham, revêt à lui seul une importance considérable dans l'Ancien Testament. Son histoire anticipe par maints aspects celle du Messie : vendu par ses frères comme le Christ par Judas, il triomphe avec le froment comme le Christ avec le pain. Joseph préfigure à ce point Jésus, que l'on parle aussi de Passion (souffrances) et de Triomphe pour évoquer la vie de Joseph.

JOSEPH VENDU PAR SES FRÈRES

Fils préféré de Jacob, Joseph rend ses frères jaloux. Ils décident de se débarrasser de leur cadet en le précipitant dans une citerne. Après des hésitations, son frère Juda propose de le vendre à des marchands qui l'emmènent en Égypte. Ressortant sur un fond jaune, les frères, en jaune et en rouge, poussent Joseph à la belle tunique d'un vert clair, rare à Saint-Savin. Les marchands le tirent derrière le

2. Joseph revendu par les marchands.

cheval ocre brun qui se courbe sous l'effort. Le jeu de poussé-tiré des mains et des pieds donne à la scène sa clarté. Abrégée, l'histoire est ici retranscrite directement par la vente de Joseph aux marchands madianites, omettant l'épisode du puits. La vérité biblique est tronquée au profit de la clarté du message : Joseph est vendu par ses frères comme Jésus le sera par Judas.
Sur fond blanc à gauche des chevaux, Joseph est revendu à l'eunuque de Pharaon, Putiphar, chef des gardes. Posture des pieds croisés, main saisie et visage regardant vers l'arrière nous montrent un Joseph désemparé au centre des tractations dont il est l'objet.

1. Joseph vendu par ses frères.

L'art de l'enchaînement

Loin de compartimenter les différentes scènes, le peintre les enchaîne comme sur une frise. Des personnages pivots, à cheval entre deux épisodes, d'une main nous montre ce qui s'est passé, nous indiquant de l'autre les incidences à la scène suivante. Le jeu des corps et des regards engendre un enchaînement sensible. Les lignes du sol assurent l'unité d'un même cycle, pondérée par des architectures ou des écrans de couleur mettant en exergue les moments-clés. Véritable déroulement de l'histoire de Joseph, ce cycle reprend des techniques d'enchaînements comme ceux de la colonne Trajane ou de la tapisserie de Bayeux. Toutefois, la lecture se fait ici de droite à gauche, vers l'autel.

La lecture du texte, comme celle du cycle, se fait ici de droite à gauche. Les titres en vert correspondent aux légendes.

4. LA REMISE DE L'ANNEAU

Vois, je t'établis sur tout le pays d'Égypte. Puis Pharaon ôta son anneau de sa main et le passa à la main de Joseph : il le fit revêtir d'habits de lin fin et suspendit à son cou le collier d'or. Il le fit monter sur le second des chars de l'état et on criait devant lui : "À genoux". Genèse XLI, 41-43.

L'investiture se déroule au cœur d'un palais crénelé aux colonnes de marbre — palais de luxe qui consacre le triomphe de Joseph. Le souverain, assis sur un siège, remet l'anneau sigillaire, anneau de pouvoir, au nouveau grand vizir : Joseph. Le jeu des mains se détache sur fond pourpre, soulignant l'importance de l'acte. Joseph est coiffé du bonnet que les peintres attribuent souvent aux dirigeants égyptiens ou romains, c'est-à-dire aux païens. Derrière Joseph, agenouillé et paré, le visage du plus éloigné des courtisans est déjà tourné vers la scène suivante.

3. LE RÊVE DE PHARAON INTERPRÉTÉ

Joseph, en rose sur fond jaune, est alors sorti de sa prison par une porte dont il a à peine franchi le seuil. Ses cheveux sont devenus blancs, son dos est courbé. Les mains liées, il est introduit auprès de Pharaon par un serviteur en vert, pivot entre la scène de la prison et celle de l'interprétation des songes. Le monarque trône hiératiquement sur un siège fait de deux griffons (?) dans une posture proche de celle d'un Christ en majesté, d'un empereur ou d'un roi. Sept vaches maigres mangent sept vaches grasses, et sept épis frêles avalent sept beaux épis, tel est le rêve étrange du monarque. Aidé de Dieu, Joseph interprète le songe : sept années d'opulence précéderont sept années de famine. Trouver un homme capable d'épargner les richesses afin d'affronter ensuite la famine permettra la survie du peuple égyptien. La solution séduit Pharaon tant et si bien qu'il décide de choisir Joseph pour gérer le pays.
À cheval sur cette scène et la suivante, deux personnages se racontent l'aventure de Joseph. Comme saisis dans le vif de la discussion, ils font par leurs gestes le lien entre les deux scènes. Le visage tourné l'un vers l'autre, on les imagine chuchotant.

5. LE TRIOMPHE

Contrastant avec son allure à la sortie du cachot, il est digne, voire conquérant. Il tient en sa main les rennes du char tiré par des chevaux dont les corps sont tendus dans l'effort. Sur un écran blanc se détachent les mains du héros et de ceux qui, à genoux, se prosternent face à lui. Peu nombreux à être représentés, ils sont entassés pour faire penser à une foule dense. Son triomphe est clairement identifié par son nom.
À cette dernière image visible, faisait suite la dernière image du cycle : probablement Joseph vendant son froment aux Égyptiens après les sept années de prospérité. Rien d'étonnant alors à ce que le récit progresse vers l'Est, plaçant ainsi le froment de Joseph près de l'autel, au même titre que le vin de Noé. Aussi, la libération de Joseph qui pourvoit aux besoins du peuple affamé se déroule parallèlement à la libération des Hébreux. Respectant ces impératifs symboliques, la vie de Joseph progresse entièrement de droite à gauche, sans que jamais Dieu apparaisse, déroulement assez rare à Saint-Savin. Particulier, le cycle l'est aussi par la palette aux tons pastel dont ont joué les artistes. Il faut imaginer que repeint par endroits et affadi par le temps et la lumière, l'éclat des peintures était beaucoup plus marqué, dotant ce passage d'une grande variété de tons.

46

2. EN PRISON

Recroquevillé dans une cellule qui s'apparente plutôt à puits, Joseph semble méditer la calomnie dont il fait l'objet. Coude sur le genou et main sur la joue, la pose qu'il affecte est empreinte d'affliction. Séparé visuellement de la ville à laquelle il tourne le dos, son emprisonnement est figuré par un muret de quelques assises de pierre qui suggère l'enfermement en nous laissant voir le prisonnier. Les lignes de fuite des maçonneries latérales laissent deviner le fond de la prison. Pendant sa détention, il interprète les songes de deux prisonniers qui travaillaient pour Pharaon. Après avoir été libéré, l'un d'entre eux se souvient alors de Joseph lorsque personne n'est à même d'interpréter les rêves de Pharaon.

Le triomphe de Joseph.

1. CHEZ PUTIPHAR

Scène à la mise en page fluide, la tentative de séduction de Joseph débute à gauche de l'arc peint. Joseph, devenu serviteur de Putiphar est apprécié par son maître. Mais la femme de ce dernier, séduite par la beauté du jeune homme, lui fait des avances.

Mais il arriva qu'un de ces jours là qu'il était entré dans la maison pour faire son service et qu'aucun des gens de la maison ne se trouvait à l'intérieur, elle le saisit par son vêtement, disant: "Couche avec moi"; lui, abandonnant son vêtement entre ses mains, pris la fuite et sortit. Genèse XXXIX, 11-13.

Elle dénonce ensuite Joseph à Putiphar comme ayant voulu abuser d'elle. Voilà une version prude de cet épisode qui fait généralement l'objet de représentations érotiques. Le riche palais de Putiphar, cadre du drame, est suggéré par un fond à l'architecture travaillée. La

séductrice, dans sa robe jaune, séduit Joseph — de façon discrète! - lui, pieds croisés se détourne d'elle. Dans l'arcade suivante, la même séductrice habillée cette fois en vert dénonce Joseph, montrant franchement Joseph de sa main gauche, expliquant à son époux de la droite. Putiphar, écoutant le récit de sa femme montre du doigt la prison dans laquelle Joseph sera séquestré pour sa punition. Doué de la capacité à séparer les scènes par l'architecture, le peintre rend haletant l'enchaînement des scènes.

L'exode

L'HISTOIRE DE MOÏSE ET DU PEUPLE HÉBREU

Joseph, arrière petit-fils d'Abraham, établit les Hébreux en Égypte. Ils sont oppressés par le travail. Pharaon, inquiet de leur nombre croissant organise chez les Hébreux le meurtre des nouveaux-nés mâles. Moïse, l'un de ces enfants, réchappe de la mort après avoir été récupéré sur le Nil par la fille de Pharaon. À l'âge adulte, alors qu'il est berger, Dieu lui apparaît sous la forme d'un buisson qui brûle sans pourtant se consumer : le buisson ardent.

Dieu charge Moïse de libérer son peuple du joug égyptien. Moïse et son frère Aaron tentent par des miracles de convaincre Pharaon de libérer le peuple hébreu. Sans succès. Moïse entreprend alors d'abattre dix fléaux sur les Égyptiens pour les persuader de laisser les Israélites quitter le pays. C'est chose faite. Alors, les Hébreux, à la suite de Moïse, font route vers le pays de Canaan. Mais très vite, les troupes de Pharaon s'engagent à leur poursuite pour les empêcher de fuir un pays dont la prospérité repose sur eux.

Rejoints par ses poursuivants près de la Mer Rouge, Moïse est aidé par Dieu : à l'aide d'un bâton, il ouvre les eaux, créant un passage pour son peuple. Pharaon et ses chars s'introduisent à leur tour dans la brèche. Un ange vient alors se tenir derrière eux fermant leur marche. Une colonne guide les fugitifs à tout moment : elle est de feu la nuit, et de nuée le jour

48

LE CHOIX DES MAÎTRES DE SAINT-SAVIN

De cette longue partie de la Bible, l'*Exode*, seuls certains épisodes ont été retenus : le buisson ardent (?) ou la mission de Moïse (?), l'entrevue de Moïse et d'Aaron avec Pharaon, la traversée de la Mer Rouge, l'engloutissement des troupes de Pharaon, la traversée du désert, la remise des tables de la Loi et l'érection de la tente de la réunion (?) ou l'épisode de la manne (?). Autant de récits qui se prêtent à une impressionnante mise en scène. À noter d'ailleurs l'absence du programme iconographique des sept plaies d'Égypte, représentation généralement tragique.

Des scènes choisies, certaines sont aujourd'hui illisibles : le buisson ardent (?), Moïse et son frère chez Pharaon ainsi que l'érection de la tente de la réunion, scène qui auraient jouxté l'autel. Ainsi s'expliquent des doutes sur l'identification de certains passages. Ces épisodes se déploient sans discontinuer sur le registre inférieur Nord, du troisième doubleau de pierre au transept, en symétrie avec le cycle de Joseph côté Sud. Le cycle se lit de gauche à droite.

Alors que les chars de Pharaon s'apprêtent à rejoindre le peuple élu, Moïse referme la mer sur eux, les engloutissant. Et Moïse étendit sa main sur la mer ; et aux approches du matin, la mer retourna dans son lit, et dans leur fuite les Égyptiens la rencontrèrent, et l'Éternel précipita les Égyptiens au milieu de la mer. Les eaux revinrent et recouvrirent les chars, les cavaliers et toute l'armée de pharaon qui étaient entrés dans la mer à la suite des fils d'Israël ; pas un seul parmi eux n'échappa.

Exode XIV, 26-28.

S'achève alors la traversée de la Mer Rouge. Moïse à la tête de son peuple s'engage vers le désert de Sur. Pendant la traversée du désert, Dieu, par l'entremise de Moïse, protège, nourrit et abreuve son peuple. Arrivé au sommet du mont Sinaï, Moïse reçoit de Dieu la Loi des dix commandements sous la forme de deux tables gravées. Les Hébreux s'inquiètent de l'absence de leur chef. À leur tête, Aaron, frère de Moïse, décide alors de créer une idole — le veau d'or — adorant ainsi un autre Dieu que Yahwhé. Descendant du Mont Sinaï avec les tables de la Loi gravées par Dieu, Moïse aperçoit le veau d'or. Pris de colère, il brise les tables, rompant l'Alliance. Le pardon divin est finalement accordé par Yahwhé au peuple hébreu. Moïse décide ainsi d'élever une tente de réunion à l'écart du camp. C'est dans cette tente que tout homme se retire s'il souhaite s'adresser à Dieu. L'importance de cet épisode de l'Exode réside dans l'organisation du culte et de la société grâce aux tables de la Loi — organisation qui est à la base de la culture judéo-chrétienne.

LA TRAVERSÉE DE LA MER ROUGE

La première des scènes encore perceptible est la fuite d'Égypte. Le peintre a pris une liberté quant au texte biblique. En effet, deux épisodes y sont regroupés : le départ d'Israël (Exode, XII, 37-42) et le passage de la mer Rouge (Exode XIV, 15-29). La progression en longueur sur plus de 6 mètres sert l'impression de poursuite. Il s'agit d'une des scènes les plus longues de toute la voûte.

49

Au cœur de la Mer Rouge, Pharaon engage ses troupes à la poursuite des Hébreux. Son char est d'une grande simplicité : une boîte presque cubique dotée de deux roues du côté de l'observateur. Le char semble en maçonnerie, mais cette partie du char correspond en réalité à l'avant, tandis que les roues sont vues de profil… Les pans du char sont de couleurs différentes pour suggérer deux pans distincts par un jeu d'ombre. Pharaon tombe à la renverse, entraîné par les chevaux qui ruent en recevant les trombes d'eau. Sa main droite indique l'effroi et l'étonnement. Les montures écrasent au passage un cavalier déjà à demi noyé, rappelant la scène de l'arche de Noé. Certains cavaliers s'engagent à la suite de Pharaon tandis que d'autres ont déjà tourné bride : l'un d'entre eux tend sa main, doigts serrés, vers l'Égypte, direction de repli. La démarche des chevaux est singulière : deux pattes avant levées et deux pattes arrières posées, à l'instar des chiens qui courent.

On réalise ici le peu d'importance qu'accorde l'artiste roman au réalisme : seul compte de saisir qu'il s'agit de chevaux lancés à vive allure. Pour indiquer la puissance de l'armée de Pharaon dont triomphe Moïse, on ébauche de nombreux chevaux. Plutôt que de les dessiner à la suite les uns des autres, on joue de la profondeur en économisant l'espace et en plaçant des chevaux identiques de front, leur donnant des couleurs pastel variées qui les différencient. Massés en un espace restreint, ils paraissent une multitude alors que seuls six sont peints.

L'eau qui recouvre les cavaliers — au sens propre comme au sens figuré — forme un cône venu du haut. Faite d'ondes vertes d'épaisseurs variées, l'eau se superpose au dessin des chars en touche finale, presque indépendamment de son support. Le fond de la mer est figuré par de petites buttes de sable au-dessus desquelles on retrouve le sol fascié.

Les enfants d'Israël accueillis par Dieu

Libéré de ses poursuivants, le peuple hébreu regagne la terre ferme. À sa tête, Moïse, habillé de vert porte le bâton qui lui a permis ses miracles. Il est béni à son arrivée par la main de Dieu sortie du demi-cercle céleste. Lui et son frère se détachent du groupe sur un fond de couleur jaune. Ils sont suivis des hommes de leur peuple, puis des femmes. L'une d'entre elle est richement parée : aux manches larges de sa robe finement plissée sont fixés des cabochons verts. Sa main droite indique l'étonnement. Les têtes des Hébreux sont placées sur deux rangées très serrées pour simuler leur grand nombre. Les enfants d'Israël sont encadrés dans leur pérégrination, à l'avant par la colonne de nuée, censée les guider le jour, et à l'arrière, par la colonne de feu, qui les guide la nuit. La couleur des flammes de la colonne de feu a viré au noir au fil des siècles.

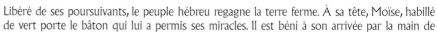

Fermant le cortège, l'ange de Dieu, plein de majesté, dominant par sa hauteur, semble stopper les flots de sa main droite tandis que la gauche se fait protectrice: on retrouve la posture gracieuse des pieds croisés chère aux artistes romans.

La scène calme de l'arrivée du peuple hébreu parait bien paisible comparée au dynamisme et à la violence de l'engloutissement. Ainsi débute la traversée du désert, simplement suggérée.

Remise du décalogue à Moïse

Moïse se rend sur le mont Sinaï qui est figuré par un sol en tas de cônes. Il s'agenouille pour recevoir de Dieu les tables de la Loi, sur lesquelles on distingue deux des dix commandements écrits en latin: D(EU)M ADORA et NON OCCIDES (« *Adore Dieu* » et « *Tu ne tueras point* »). Dans une mandorle circonscrite de cabochons et de nuées apparaît Dieu sur un fond ocre rouge. Il porte le nimbe crucifère. Quatre anges, comme suspendus au-dessus du sol, jouent de la trompette de part et d'autre des protagonistes. Ils confèrent à la scène son aspect solennel que justifie ce moment mythique où le peuple hébreu reçoit les fondements de la société — institutions et vie religieuse. Ce cycle clôt les peintures de la nef avec la tente de la réunion ou l'épisode de la manne qui étaient près de l'autel.

Dieu remet à Moïse les tables de la loi.

Peu pour dire beaucoup

À qui ne connaît pas la peinture romane, représenter une horde de cavaliers enfouis par la mer, un dragon de la gueule duquel sort un fleuve, une foule sur un mètre carré, ou plus ardu encore, la majesté divine, peut paraître une gageure. Pourtant, les ateliers de Saint-Savin y parviennent avec talent.

REPRÉSENTER LA MULTITUDE

Déjouant la difficulté de représenter une multitude d'éléments en une surface réduite, les artistes donnent au spectateur les clefs qui lui permettent d'imaginer qu'il a affaire à une foule quand seuls cinq personnages sont figurés. L'illustrent à l'évidence les hommes qui se tiennent à gauche de la tour de Babel en conversation animée avec Dieu. Ils semblent former une assemblée nombreuse. Pourtant, à bien les compter, ils ne sont que treize. Il n'a été besoin de faire apparaître que deux de leurs corps, sept de leurs jambes, quatre de leurs mains, et treize de leurs têtes en un groupe compact sur quatre rangées pour qu'un observateur voie en eux non treize ouvriers, mais le corps entier du chantier. Le peintre fait de l'homme de la foule un individu parmi ses pairs tous semblables, au profit de la représentation du groupe.
Rompus à l'art de simuler la présence d'une foule, les imagiers romans le pratiquent si le récit le requiert : la parade de Joseph, les cavaliers de Pharaon engagés à la poursuite de Moïse, le peuple hébreu à la sortie de la Mer Rouge. Ce genre de représentation n'est pas rare non plus dans le porche ou dans la crypte où les supplices ont lieu devant l'assemblée urbaine au grand complet.

PEINDRE LE DIVIN

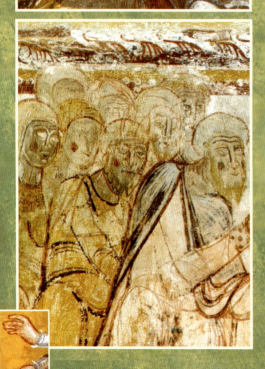

Choisir et ordonner des signes sensibles aptes à suggérer de la pensée et du spirituel.

P. Le Mahaute.

S'il est difficile de suggérer la présence d'une foule dont on ne peut peindre l'intégralité, il est tout aussi complexe, par définition, de représenter l'intangible, à savoir ici Dieu. Quand la compréhension du récit rend ce besoin impérieux, Dieu apparaît sous différents aspects.
Pour représenter l'indicible, on s'appuie sur les textes. Par exemple, dans L'épître aux Colossiens, Paul parlant du Christ,

dit *Il est l'image du Dieu invisible*. Puisque Dieu et le Christ sont indissociables, on utilise l'image d'un Christ jeune dans la force de ses moyens, non le vieillard qui souvent représente Dieu. On met à contribution différents artifices pour exprimer sa transcendance divine. Il est toujours de plus grande taille que les personnages avec qui il est en conversation. Présenté sur fond blanc, il adopte fréquemment la position des jambes croisées, comme faisant fi de la pesanteur. Campé de face, on indique sa supériorité sur ceux à qui il s'adresse. Il est aisément identifiable grâce à son auréole marquée d'une croix, le nimbe crucifère. Traits et attitudes le démarquent par leur grande finesse.

Si Dieu n'apparaît pas en personne et en intégralité, une cohorte de raccourcis visuels assurent sa présence. Sa main peut sortir du demi-cercle céleste pour bénir un personnage digne, par exemple lors de la bénédiction du peuple hébreu après la traversée de la Mer Rouge, de Savin lors de sa décapitation. Les anges sont ses auxiliaires, reconnaissables à leurs ailes, leurs auréoles et leurs démarches légères.

LES FORCES DE LA NATURE ET DE L'INFINI

Il est un autre domaine dans lequel les peintres se surpassent pour représenter tantôt la mer qui se referme à grands flots, tantôt une fournaise, ou une colonne de nuées. La présence de ces éléments naturels est schématique, l'imagination de l'observateur connaisseur des textes bibliques est déterminante.

OS TORMENT... BO...

le supplice de la roue

55

Les cryptes

UN LIEU DE VÉNÉRATION DES RELIQUES

Le culte des saints et de leurs reliques, fondement de la piété romane, a pour lieu privilégié la crypte. De plan quadrangulaire, voûtée en berceau, la crypte a environ les mêmes dimensions que le rond-point du chœur qu'elle soutient et surélève légèrement. Elle se prolonge à l'Est par un petit sanctuaire de plan carré. Son décor mural a été mis à mal par les infiltrations et les crues de la Gartempe. Ainsi a-t-elle été fermée au public pour assurer sa sauvegarde. Une autre crypte existe sous l'absidiole d'axe, dédiée à saint Marin.

Lieu de conservation des reliques tant vénérées par moines et pèlerins, la crypte doit être d'accès aisé. Deux escaliers y mènent. Nombre de petits regards permettent d'observer les reliques de l'extérieur car seuls les moines pouvent y pénétrer. À l'Est de la crypte, demeure une table d'autel romane située sous le chœur. Ainsi, symboliquement, le culte des saints dans la crypte, soutient la vie liturgique de l'autel majeur.

DES VIES INVENTÉES POUR SERVIR DE MODÈLE AUX FIDÈLES ?

Des vies de Savin et Cyprien relatées dans la crypte, on ne connaît que des récits postérieurs à la fondation de l'abbaye. Que s'est-il passé alors du Ve siècle, période de leur prétendu martyre, au IXe ?

Les reliques découvertes par Baidilus seraient des corps sans histoire. Or pour susciter un pèlerinage, il faut un récit, modèle de dévotion au Christ. On aurait ainsi fait appel à des hagiographes, dont le travail est de relater les vies de saints. Puisant à l'envi dans les vies d'autres saints des épisodes édifiants, ils donnent âme et histoire à ces reliques. On emprunte à la vie de saint Mocius, patron de Constantinople, le supplice des ongles de fer, de la fournaise, de la roue, et de l'arène, les noms de Ladicius et de Maximus, ainsi que de la ville d'Amphipolis. Autres modèles, les vies de saint Savinien de Troyes et de saint Germain d'Auxerre sont utilisées. Ces compilations étaient usuelles, qui, avec des intentions louables, suscitaient le culte de reliques aux origines méconnues.

LE RÉCIT DU MARTYRE

Puisque l'abbaye doit sa fondation et son nom à Savin — elle fut bâtie pour abriter ses reliques et celles de son frère, découvertes sur les bords de la Gartempe vers l'an 800 — il est légitime que soit fait le récit de ses pseudo-tribulations jusqu'aux bords de la Gartempe. Dans la crypte, une voûte en plein cintre, scindée par une bande faîtière à rubans plissés peints, sert de support à la narration. De part et d'autre de la bande, sont délimités deux registres. La lecture commence au registre supérieur Nord, puis inférieur Nord. Elle reprend ensuite aux registres du Sud, supérieur puis inférieur.

Savin et Cyprien tentent de convertir les habitants de la ville puis comparaissent devant Ladicius.

Tentative de conversion des habitants d'Amphipolis

Deux frères, Savin et Cyprien tentent de convertir au christianisme les habitants de la ville d'Amphipolis. Les auréoles qu'arborent les saints et des inscriptions permettent une identification aisée. Savin, l'aîné, est barbu, Cyprien, le cadet, est glabre. Une discussion animée est engagée entre les saints, les habitants, et le proconsul de la ville Ladicius — discussion dont la vivacité est attestée par les gestes emportés des païens. À cette effervescence, les frères opposent un calme lisible à leurs mains levées.

Les ongles de fer

Débute alors une série de supplices souvent infligés aux chrétiens qui ne veulent pas renoncer à leur foi. Mis à nu, dans une salle figurée par un décor architecturé, on les écorche avec des ongles de fer. On leur entaille bras et mains. Cette torture est représentée fréquemment dans l'Occident chrétien.

Le supplice des ongles de fer.

COMPARUTION DEVANT LADICIUS...

Mis au pilori par les habitants de la ville, qui demandent leur mort, les frères comparaissent devant Ladicius, le proconsul venu à l'occasion de la fête de Dyonisos. Ladicius, assis sous un portique à la manière byzantine porte le bonnet dont les imagiers médiévaux affublent les païens. Des inscriptions identifient les principaux protagonistes.

Non seulement saint Savin confesse être chrétien mais il reproche au proconsul d'adorer des idoles. C'est donc sans succès que Ladicius essaie d'obtenir la rétractation pacifique des deux frères.

Comparution devant Ladicius.

LA FOURNAISE

La scène endommagée n'est pas représentée ici.

Indemnes après ce traitement et n'ayant toujours pas renié leur foi chrétienne, ils sont conduits en prison. Ladicius leur demande d'adorer une idole. Savin refuse et se signe, provoquant la chute miraculeuse de l'idole qui se brise. Les deux chrétiens sont alors précipités dans un feu. Dans une mandorle, le Christ les protège sous son manteau. Pendant ce temps, la fournaise embrase la ville d'Amphipolis, faisant périr Ladicius et ses conseillers. La foule épargnée observe la scène à gauche de l'arbre, puis, à droite de l'arbre, conduit les martyrs en prison.

COMPARUTION DEVANT MAXIMUS

Les saints sont amenés devant Maximus, parent et collègue du défunt Ladicius. Ils sont maintenus par leurs geôliers. On remarque l'aspect stéréotypé des postures : le gardien de Cyprien affecte exactement la même position que Savin lui même — mains exceptées.

SUPPLICE DE LA ROUE

Comme ils refusent d'adorer les idoles, Maximus décide de faire subir à nos deux hommes le supplice de la roue. Devant la foule, on tire leurs membres entre les bâtons des roues hissées sur des poteaux pour les faire tourner. S'inspirant d'un supplice byzantin, l'imagier représente un supplice inconnu en Europe. La torture de la roue sera pratiquée en France à partir du XIVe siècle de façon bien différente : les corps écartelés au sol, on jette dessus une roue pour en briser les membres. Ensuite le corps est exposé sur la roue. En Orient, le corps était placé autour de la jante et le mouvement de rotation provoqué grâce à une corde. Il semble que le peintre ait ici imaginé en fonction des textes ce que pouvait être le supplice de la roue. D'après la légende, les roues auraient cédé, libérant ainsi les suppliciés alors reconduits en prison.

AU CŒUR DE L'ARÈNE

Après avoir affamé des fauves, on conduit les deux frères, qui ont réchappé de tous les supplices, au cœur d'une arène où sont lâchées les fauves. Tout d'abord rugissant, les animaux s'avancent doucement des condamnés pour leur lécher les pieds.

ÉPILOGUE

Après avoir été remis en prison, les saints sont libérés par un ange qui leur indique de se rendre en Gaule. En chemin, ils accomplissent de nombreux miracles et sont accueillis à Auxerre par saint Germain. Ces scènes du registre Sud sont illisibles. Seule est perceptible la dernière du registre. Rejoints par les troupes de Maximus à Cerasus, non loin de l'actuelle abbatiale, les frères sont conduits sur une île. Savin y désenvoûte un possédé et baptise à cette occasion une dizaine de soldats. La scène, quoique endommagée est encore bien visible : dans un sanctuaire symbolisé par une architecture, Savin baptise. En même temps, derrière le saint, s'abat le glaive qui lui tranche la tête. Au même instant, sortie du demi-cercle céleste, la main de Dieu bénit le martyr qui jusqu'au bout aura été un chrétien modèle. Au versant Ouest de la crypte est figuré le martyre du frère cadet Cyprien décapité à Antigny.

Les deux saints dans la fosse aux lions.

59

LE CHRIST ET LES SAINTS

Un Christ en majesté domine le sanctuaire, entouré des quatre évangélistes — le taureau de Luc, l'ange de Matthieu, l'aigle de Jean et le lion de Marc. Montrant le Livre de la main gauche et bénissant de la droite, il est assis hiératiquement sur un trône. Inscrit dans une gloire circulaire, un texte latin dit :

Il donne aux saints des couronnes dignes de leur sort admirable. Que, guide splendide, il soit le juge éclatant de leurs mérites.

Cette phrase sanctifie les vies des saints, narrées à quelques pas de là.
Sur les murs encadrant l'autel, se dressent des saints en pied dans des architectures, arborant des couronnes et identifiables par des inscriptions : leurs reliques étaient conservées dans les différents autels de Saint-Savin. Ils ajoutent majesté aux peintures de la crypte qui bien souvent ont été décriées pour leur style.

INFLUENCES POITEVINES ET BYZANTINES ?

Saints guérisseurs, saints évêques, saints confesseurs… Dans la France romane, il est coutumier que les vies de saints présentent à la dévotion des fidèles des miracles, des guérisons et des reliques. Les martyrs et leurs souffrances endurées au nom du Christ suscitent aussi de l'intérêt.
À Saint-Savin, les origines des pseudo-vies de nos martyrs de la Gartempe ne sont pas que françaises. Un des modèles dont se sont inspirés les hagiographes est saint Mocius. Ce Byzantin est le type même du saint oriental. Il est victime de supplices variés sous le règne de Dioclétien, connu pour ses persécutions sanglantes à l'égard des chrétiens. Ongles de fer, fournaise, supplice de la roue et arène aux fauves affamés : autant de sujets de persécutions que le peintre a reproduits sans jamais les avoir vus en France, d'où l'aspect singulier du supplice de la roue.
Si le sujet des peintures est empreint d'ascendances byzantines, des influences stylistiques locales peuvent être remarquées. Au monastère de Sainte-Croix, vers la fin du XIe siècle, est enluminé un manuscrit retraçant la vie de sainte Radegonde. À observer son style, proche de celui de la crypte, il aurait servi de modèle au peintre des fresques. Autre parenté stylistique, celle des fresques de la Trinité de Vendôme : on y retrouve l'architecture d'accompagnement, la sûreté du dessin, la plénitude des volumes, les yeux cernés perdus au loin…

Un style différent pour un lieu différent

Contrastant avec les peintures des autres parties de l'édifice, celles de la crypte sont pourtant contemporaines et réalisées par les mêmes ateliers. Toutefois, décorant une voûte de petite taille à faible hauteur, les personnages sont plus petits et plus trapus. De la taille de figurines agrandies, elles restent parfaitement visibles. Pour faciliter la lecture dans une pièce obscure, les teintes sont denses et les contours accusés. L'aspect gauche et trapu des corps peut s'expliquer par leur petite taille qui laisse moins de spontanéité graphique à l'artiste.
À l'instar de l'art de l'enluminure — par lequel le peintre a pu être influencé voire formé — les personnages obéissent à une standardisation. Les ventres en avant sont soulignés par des plis en forme d'amande. L'abdomen reçoit des bandes concentriques. Des plis en V marquent l'entrejambe. Les visages inexpressifs aux yeux cernés et aux nez fins ne varient pas. Les fonds sont architecturés avec des toitures travaillées, des arcades et des frontons : est-ce par influence de la miniature qui utilise les architectures ? Est-ce pour suggérer le cadre urbain d'Amphipolis ?
Si certains jugent ces peintures gauches, elles sont en tous cas en adéquation avec leur support qui ne pourrait accueillir des figures claires de deux mètres de haut comme celles de la nef ?

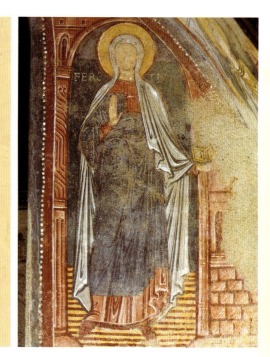

Chœur et chapelles

LE CHŒUR

Lieu consacré, le chœur domine l'église de sa hauteur. Il est surélevé car aménagé sur la crypte principale, elle-même à demi enterrée. Ainsi placé sur un piédestal, il est visible de loin. Il est délimité par une colonnade dont les chapiteaux reçoivent alternativement des motifs sculptés de lionnes affrontées ou des feuilles d'acanthe stylisées. Cette colonnade soutient une voûte en cul-de-four éclairée par une rangée de baies qui dote Saint-Savin d'un éclairage à part parmi les églises romanes

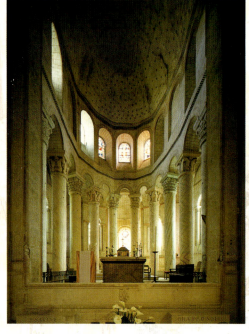

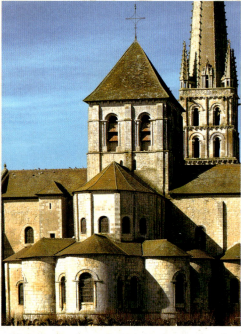

poitevines : l'éclairage n'a pas ici pour seule source les fenêtres des chapelles rayonnantes. Il se fait aussi par le haut. Cette voûte a été repeinte d'un semis d'étoiles au XIXe siècle.

L'étagement des volumes du chevet : les chapelles rayonnnantes greffées sur le déambulatoire à la base, le chœur et la tour de croisée.

LES CHAPELLES RAYONNANTES

Malgré la place d'honneur réservée à l'autel majeur, la vie liturgique s'étend au-delà, dans les chapelles rayonnantes. Elles sont desservies par le déambulatoire, passage qui contourne l'autel en contrebas. Il permet d'apercevoir la crypte sans y pénétrer. On parle ainsi de chevet à déambulatoire et chapelles rayonnantes, fréquent dans les églises de pélerinage.

À Saint-Savin, le chevet semble s'étirer comme pour mieux atteindre l'Orient. Le chœur n'est pas en hémicycle comme à l'accoutumée, mais polygonal. Les chapelles rayonnantes vont en s'allongeant vers l'Est. Ces chapelles abritent des tables d'autel. Sur la tranche des dalles de pierre, des inscriptions romanes permettent de les dater des environs de 1050. C'est aussi grâce à elles que l'on connaît les dédicataires des huit chapelles que compte l'église. Elles sont dédiées aux archanges dans le bras Nord du transept, aux apôtres dans le bras Sud. Puis du Nord au Sud dans les absidioles, aux vierges, aux martyrs, à Saint Marin et Saint Herménegilde dans la chapelle d'axe, aux évêques confesseurs Martin, Hilaire, Martial et probablement aux martyrs, dont Saint Romard.

La base de ses chapelles est rythmée par des arcatures aveugles. Le peintre a utilisé ces arcatures comme des niches qui reçoivent des peintures de saints (sans doute les dédicataires de ses chapelles). Le style piédestal est très proche du porche et de la tribune. Les visages sont exécutés avec les mêmes joues aux taches rouges et les mêmes rehauts blancs. Au-dessus des arcatures, le décor, bien qu'endommagé, est constitué d'anges qui tendent des couronnes aux élus.

Harmonie des volumes et finesse des peintures font du chœur de Saint-Savin un haut lieu de l'art roman.

Table d'autel romane

Mise au tombeau.

Un saint repeint au XIXᵉ siècle.

Saints de la chapelle d'axe.

Chœur

Pour en savoir plus…

GLOSSAIRE

ABBATIALE : église d'une abbaye, d'un monastère.

ABSIDIOLE : volume intérieur circulaire ou polygonal placé autour du chœur. Les absidioles font souvent office de chapelle.

ANCIEN TESTAMENT : partie la plus ancienne de la Bible, elle comprend les livres canoniques des Juifs.

ARC DOUBLEAU : arc en saillie qui sert à renforcer une voûte.

CHEVET : partie orientale de l'église qui abrite l'autel.

EXODE : partie de l'Ancien Testament qui raconte la sortie d'Égypte des juifs, guidés par Moïse.

GENÈSE : premier livre de la Bible, allant de la Création à la mort de Joseph.

GLOIRE : auréole lumineuse entourant le corps des personnages divins.

HAGIOGRAPHE : auteur qui raconte la vie des saints personnages.

HISTORIÉ : se dit d'un décor qui n'est pas seulement géométrique, mais qui raconte une histoire.

INTRADOS : partie intérieure et concave de la voûte que l'on voit depuis le sol de l'église.

NEF : partie centrale de l'église qui va du porche au chœur, entre les piliers qui soutiennent la voûte.

NIMBE CRUCIFÈRE : auréole sur laquelle est figurée la croix du Christ, qu'arbore le Christ (ou Dieu).

NOUVEAU TESTAMENT : partie la plus récente de la Bible. Son écriture commence après la mort de Jésus. Elle est composée notamment des quatre Évangiles.

PAROUSIE : second avènement du Christ revenant sur terre, à la fin des temps.

REGISTRE : bande ornementale peinte. Les registres peuvent se superposer.

SCABELLUM : sorte de tabouret qui fait office de piédestal.

SEPTUAGÉSIME : période d'environ soixante-dix jours pendant laquelle on prépare Pâques.

TRANSEPT : partie de l'église qui correspond aux bras transversaux de la croix, cette seconde nef coupe la principale à angle droit. La croisée est à la rencontre des deux.

TRAVÉE : partie comprise entre deux colonnes dans le sens de la longueur.

À LIRE

1. ART ROMAN ET PEINTURES MURALES

VERGNIOLLE Éliane, *L'art roman en France : architecture, sculpture, peinture*, Paris, Flammarion, 1994.

Les peintures murales de Poitou–Charentes / dir. Bernard BROCHARD, Yves-Jean RIOU, Véronique ARNAULT-NAULTRE, Saint-Savin, C.I.A.M., 1993.

CAMUS Marie-Thérèse, *Sculpture romane du Poitou : les grands chantiers du XIᵉ siècle*, Paris, Picard, 1992.

2. SAINT-SAVIN

Saint–Savin, l'abbaye et ses peintures murales / dir. FAVREAU Robert. C.P.P.P.C., Poitiers, 1999

RIOU Y.-J., *L'abbaye de Saint-Savin*, (Images du Patrimoine, n° 101), C.P.P.P.C., Paris, 1992

YOSHIKAWA I., *Peintures de l'église de Saint–Savin–sur–Gartempe*, Tokyo, 1982.

OURSEL Raymond, *La Bible de Saint–Savin*, Zodiaque, St-Léger-Vauban, 1971.

LABANDE-MAILFERT Yvonne, *Saint–Savin ou le miracle roman*, Saint-Léger-Vauban, Zodiaque, 1957.

Congrès archéologique de France, CIXᵉ session tenue à Poitiers en 1951. Paris-Orléans, 1952 (études de Marcel Aubert, p. 421-436, et Paul Deschamps, p. 437-449).

MERIMÉE Prosper, *Notes d'un voyage dans l'Ouest de la France*, Paris, 1836.

MERIMÉE Prosper, *Notice sur les peintures de l'église de Saint–Savin*, Paris, 1845.